풀리지 않는 생활 속

비밀의 문

풀리지 않는 생활 속 비밀의 문

펴 낸 날   2018년 2월 28일

지 은 이   서영오
펴 낸 이   최지숙
편집주간   이기성
편집팀장   이윤숙
기획편집   이민선, 최유윤
표지디자인   이민선
책임마케팅   임용섭
펴 낸 곳   도서출판 생각나눔
출판등록   제 2008-000008호
주   소   서울 마포구 동교로 18길 41, 한경빌딩 2층
전   화   02-325-5100
팩   스   02-325-5101
홈페이지   www.생각나눔.kr
이 메 일   bookmain@think-book.com

▶책값은 표지 뒷면에 표기되어 있습니다.
 ISBN 978-89-6489-826-0 13190

▶이 도서의 국립중앙도서관 출판 시 도서목록(CIP)은 서지정보유통지원시스템 홈페이지
 (http://seoji.nl.go.kr)와 국가자료공동목록시스템(http://www.nl.go.kr/kolisnet)에서
 이용하실 수 있습니다(CIP제어번호: CIP2018004943).

풀리지 않는 생활 속

비밀의 문

서영오 지음

생각나눔

"원하고 바라는 것을 생각하면 저절로 우주가 그것을 만들어 준다고 했는데, 난 왜 안 생기는 것일까?"

"부자가 되면 하고 싶은 것을 마음껏 다 하면서 크루즈 여행도 다니고, 부모님께 효도도 하고, 형제·자매들도 도와주고 싶은데 우주는 왜 내 소원을 안 들어주는 것일까?"

이런 의문점을 찾기 위해 저는 부와 관련된 책, 수많은 자기계 발 서적을 읽고 또 읽어 보았습니다. 그러나 비밀의 문은 끝내 열 리지 않았고, 저는 어디로 가야 할지 삶의 목적을 잃어버린 채 하 루하루 다람쥐 쳇바퀴 돌 듯 생을 살아갔습니다. 갑자기 녹내장 이 와서 우측 눈이 절반밖에 안 보이고, 조혈모세포의 이상으로 면역체계가 무너지면서 쉽사리 감기에 걸리고, 근육이 파열되어 우측 어깨를 쓰지 못하게 되는 지경까지 이르렀습니다. 알고 지내던 후배가 정형외과를 소개해 주었는데 그곳에서 어깨 치료를 받던 중, 우연히 물리치료사님이 '진정 스승님의 정법 강의'를 들어보라고 권유하였고, 퇴원하여 집에서 '정법 강의'를 인터넷 강의로 몇 개 들어보았는데 그토록 풀리지 않았던 의문점들이 하나씩 하나씩 풀렸습니다. 지면을 통해 진정 스승님께 감사의 말씀을 전합니다.

이 책은 크게 자녀교육, 인간관계, 사업과 돈, 부부관계를 중점적으로 제 경험과 신문 기사 내용을 각색하여 상황으로 만들었고, 이치에 흐르는 근간은 '진정 스승님의 말씀'을 토대로 제가 아는 만큼 풀어보았습니다. 이 책은 먼저 나의 모순을 스스로 찾아내는 과정을 통해 나를 갖추어 놓은 다음 사회를 위해, 나라를 위해, 인류를 위해 도움이 되는 일을 해야 한다는 것이 핵심입니다.

일이 잘 안 풀렸을 때 사회에 불평·불만하고 남 탓하는 버릇이 나의 깨달음을 방해하는 일등공신임을 알고 나니, **나 자신부터 변하는 것이** 꼬여버린 자식, 부부, 대인관계를 바르게 잡을 수 있는 유일한 길이며 **나 자신의 부족한 부분이 무엇인지를 아는 것이** 곧 깨달음이고, 이 부족한 부분을 채울 수 있는 유일한 길은 내게 주어진 이 환경을 불평·불만하지 않고 잘 만지면서 배워야 한다는 것입니다. 이런 주어진 환경을 통해 나를 잘 갖추어 놓았다면, 이제 우리는 이 사회와 인류에 도움이 되는 일이 어떤 것인지 스스로 알 수 있으며, 이 소명 의식을 세상에 펼치기 위해 온 힘을 다할 때만이 비로소 우리의 삶은 기쁘고 즐겁고 행복하다는 것입니다.

어리석은 우리를 위해 동서고금의 수많은 선각자가 우리 앞에 수많은 진리를 쏟아 놓았지만, 우리는 그 진리를 익히 알기만 할 뿐 생활 속에서 깨닫고 실행으로 옮기기엔 턱없이 부족합니다. 성경에 기재되어 있는 "어찌하여 너는 형제의 눈 속에 있는 티는 보면서 자기 눈 속에 있는 들보는 깨닫지 못하느냐? 자기 눈 속에 있는 들보도 보지 못하면서 어떻게 형제에게 '네 눈 속의 티를 빼내어 주겠다.'고 하겠느냐? 이 위선자야! 먼저 네 눈에서 들보를 빼내어라. 그래야 눈이 잘 보여 형제의 눈에서 티를 빼낼 수 있지 않겠느냐? (「마태복음」 7장 3~5절)" 이런 진리조차 우리는 깨닫지 못하고 생활 속에서 자신의 커다란 허물은 보지 못한 채 선생님인 양 남을 가르치고 남을 탓하고 남을 비난하기 일쑤입니다. 이 책은 선각자들이 우리 앞에 내놓은 귀중한 진리를 생활 속에서 상황으로 재구성하여 깨닫게 하는 것이 목적입니다. 그럼으로써 우리 스스로 진리를 몸소 행할 때만이 진정 우리는 빛이 날 것입니다.

앞으로 무엇을 하면서 살아야 할지, 어떻게 해야 부자로서 살수 있는지, 어떻게 살아야 기쁘고 즐겁고 여유로운 삶을 살 수 있는지, 삶은 각양각색의 모습으로 우리 앞에 물음표를 던집니다. 우리는 삶의 물음표에 맞는 답을 찾기 위해 수없이 시행착오를 거치면서 앞으로 나아가지만, 사실 우리의 현재 처한 환경이 그 물음표에 대한 답을 찾을 수 있는 유일한 출구라는 것을 모릅니다.

이 책에 소개된 상황과 이치들이 독자 여러분의 현재 처한 상황과 똑같지 않을지언정, 책 전반에 일관되게 흐르고 있는 진리는 너무나 단순합니다.

"세상에 존재하는 모든 것, 심지어 모래 알갱이조차 나름의 이유가 있어 존재하는 것이니 깨달음은 여기서 시작되는 것이다."

2018. 2. 22.

비저너리(Visionary) 서영오

목 차

1.
「치과의사인 아버지를 때린 아들」로 풀어본 비밀의 문

✎ 상황

"오죽했으면 제 아들을 제가 직접 112 신고해서 경찰관 보고 잡아가라고 이야기했겠습니까? 제발 우리 아들을 교도소에 보내주세요. 이번만큼은 정신 바짝 차리고 나오게 해 주세요. 지금 바로 풀려나면 지 부모를 또 두들겨 팰 거에요."

박원장은 서울 강남 소재 번듯한 건물까지 소유한 치과의사이다. 그에게는 딸 한 명 아들 한 명이 있고, 딸은 4년 전에 사업가와 결혼하여 다른 곳에서 살고 있고, 아들은 2년 전에 결혼했으나 배우자와의 성격 차이로 이혼한 상태이다. 아들 A는 이혼한 후부터 술을 입에 대더니만 지금은 알코올 중독자가 되어 버렸고, 3번 정도 요양병원에 가서 치료를 받은 적이 있다.

아들 A는 술만 마시면 아버지인 나에게 반말로 욕을 하면서, 손으로 뺨도 때리고 몸통 부위를 때린다. 처음에는 술에 취해서 그런가 보다 하고 지켜보았는데, 그 정도가 계속 심해져서 이제는 거동이 불편한 어머니도 구타를 서슴지 않는다. 나름 강남에서 치과병원을 운영하는 내가 어떻게 이런 인륜에 반한 아들을 길렀다는 말인가? 창피해서 친한 친구에게조차 말할 수 없다. 어느 날 아들이 소주 한 병을 마시더니 눈이 돌아가기에 얼른 안방으로 가서 드러누웠다. 거실에서 상대를 하고 싶지 않아서 안방에서 누워 있었는데, 아들이 발로 내 몸을 툭툭 차면서 "야, 일어나봐. 니가 그 씨발년(누나)한테 내 아들 B를 맡겼지, 내 허락 없이, 다 죽여 버릴 거야."라고 말을 하면서 또 구타를 시작했고, 나는 아들의 폭행을 피해 신발도 신지 못한 채, 휴대폰을 들고 집 밖 거리로 뛰쳐나갔다. 그리고 피눈물을 흘리면서, 112신고를 했다.

✎ 이치

의외로 자식에게 맞고 사는 부모가 꽤 있습니다. 부모의 학력이나 재력 수준이 상류층인 경우도 있고, 그 반대로 부모이 수준이 극빈층인 경우도 있습니다. 이런 것을 보면, 인륜에 반하는 행위를 서슴지 않는 패륜아는 부모의 지적 수준, 재력 이런 것과 상관이 없는 것으로 보입니다.

50대 이후 분들의 부모님 세대는 어머니는 매사에 순종적이며,

아버지는 권위를 앞세워 무소불위의 힘을 행사하던 때였습니다. 저도 그런 환경에서 성장하였기에 "내 자식만큼은 절대 권위적이지 않고, 눈높이를 낮추어 친구처럼 편안하게 대해 주어야겠다."고 다짐을 했고, 실제로 아이들에게 권위를 던져버리고 친구처럼 가볍게 다가서려고 나름 노력을 했습니다. 그런데 아이가 커 가면서, 어느 순간 친한 친구처럼 다가선 것이 아이를 버르장머리 없이 키운 것이 아닌가 하는 자책감이 들 때가 종종 있습니다. 아이를 어떻게 하면 바르게 키울 수 있을까요?

먼저 부모가 존경받는 일을 해야 합니다. 존경받는 일을 한다면, 아이는 부모 뒤를 따라 자연스레 바르게 커 갈 것입니다. 부모가 잘못된 행동을 하면서 아이 보고 올바른 행동을 하라고 이야기하는 것은 이치에 맞지 않습니다. 치과의사인 박 원장과 아들과의 관계에 있어, 아들의 품성이 포악하여 부모를 때린 패륜아라고 생각이 들겠지만, 사실은 패륜아로 키운 부모의 책임이 100%입니다. 그렇기에 아들을 잘못 키운 대가로 부모에게 채찍질을 하는 것일는지 모릅니다. 너무 비약했나요? 여하튼 유아기, 청소년기를 거쳐 독립된 인격체인 성인으로 올바르게 형성되기까지 부모의 역할은 자식에게 잘되라고 끊임없이 잔소리하기보다, 먼저 자신부터 존경받는 일을 하는 사람이 되어야 하고 사회에 득이 되는 일을 해야 합니다. 그러면, 자식은 자연스럽게 그 뒤를 따라 사회에 이바지하는 훌륭한 일꾼이 되는 동시에 효자가 되는 것입니다. 우리가 상식적으로 생각하는 효도는 자식이 부모에게 용돈을 많이 주고, 해외여행도 보내주는 것으로 알지만, 사실 부모님 관점에서 진정한 효(孝)는 자식이 사회에서 뜻있는 일을 하여서 세상 사람들로부터 존경을 받고, 훌륭한 일을 함으로써 인류발전에 공헌할 때, 부모의 마음은 저절로 흥이 나고 그게 곧 효도입니다.

치과의사인 박 원장은 배울 만큼 배운 지식인이고, 똑똑한 사람일수록 자신의 의견이 진리인 양 말하기 쉽습니다. 그리고 상대방인 가족에게 그 의견을 따라주기를 강요하고, 의견을 따라주지 않으면 화를 내고 거친 말을 쏟아냄으로써 가족 간의 갈등이 극과 극으로 치닫기 마련입니다. 박 원장의 아들은 이미 결혼까지 하여 아이를 둔 한 가정의 아버지임에도, 박 원장은 알코올 중독자인 아들 A의 의사를 전적으로 무시한 채, 아이 B를 고모에게 맡겨 버리죠. 거기에 분노한 아들 A는 매사 술을 마실 때마다 아이가 보고 싶어졌고, 아이에 대한 사랑과 미안함이 겹쳐져 분노로 바뀌어, 그 분노의 대상을 부모인 박 원장 내외로 향하게 됩니다. 명심하세요. 자식이 패륜아가 되어 부모인 나를 때리고 욕하는 것은 자식을 올바르게 키우지 못한 나의 책임이며, 지금부터라도 미안한 마음으로 자식을 대해야 합니다. 내 마음대로 자식을 조종할 수 있다는 생각은 털끝만큼도 일으키지 마시기 바랍니다. 우리는 자기 마음 하나도 잘 다스리면서 살아가기 어렵다는 것을 너무나 잘 알고 있습니다.

행복한 삶의 길

어릴 때는 나보다 중요한 사람이 없고,
나이 들면 나만큼 대단한 사람이 없으며,
늙고 나면 나보다 더 못한 사람이 없다.

돈에 맞춰 일하면 직업이고,
돈을 넘어 일하면 소명이다.

직업으로 일하면 월급을 받고,
소명으로 일하면 선물을 받는다.

칭찬에 익숙하면 비난에 마음이 흔들리고,
대접에 익숙하면 푸대접에 마음이 상한다.

문제는 익숙해져서 길들여진 내 마음이다.
집은 좁아도 같이 살 수 있지만,
사람 속이 좁으면 같이 못 산다.

내 힘으로 할 수 없는 일에 도전하지 않으면,
내 힘으로 갈 수 없는 곳에 이를 수 없다.

사실 나를 넘어서야 이곳을 떠나고,
나를 이겨내야 그곳에 이른다.

갈 만큼 갔다고 생각하는 곳에서
얼마나 더 갈 수 있는지 아무도 모르고,
참을 만큼 참았다고 생각하는 곳에서
얼마나 더 참을 수 있는지 누구도 모른다.

지옥을 만드는 방법은 간단하다.
가까이 있는 사람을 미워하면 된다.
천국을 만드는 방법도 간단하다.
가까이 있는 사람을 사랑하면 된다.

모든 것이 다 가까이에서 시작된다.
상처를 받을 것인지 말 것인지 내가 결정한다.
또 상처를 키울 것인지 말 것인지도 내가 결정한다.

그 사람 행동은 어쩔 수 없지만

반응은 언제나 내 몫이다.

산고를 겪어야 새 생명이 태어나고,

꽃샘추위를 겪어야 봄이 오며,

어둠이 지나야 새벽이 온다.

거칠게 말할수록 거칠어지고,

음란하게 말할수록 음란해지며,

사납게 말할수록 사나워진다.

결국, 모든 것이 나로부터 시작되는 것이다.

나를 다스려야 뜻을 이룬다.

모든 것은 나 자신에 달려 있다.

– 백범 김구 –

2.
「왜 아빠는 제멋대로야! 간섭하지 마!」로 풀어본 비밀의 문

✎ 상황

"태민아, 집에 들어왔으면 옷 갈아입어야지, 응?" 잠잘 시간이 되자, 나는 아들에게 옷 갈아입으라는 말을 수차례 했다. 그런데 아들은 대답도 없이 방에서 책을 읽고 있었다. 아들이 방에서 나오자 나는 또 한 번 "옷 갈아입으라구, 대체 몇 번을 이야기하는 거야, 엉!" 그러자 아들은 내게 "좀 간섭하지 마라니까."고 말대꾸를 했다. 난 아들의 말에 분노의 레이저를 쏘아 대면서 "간섭이라니, 몇 번 이야기를 했냐고, 밖에서 들어왔으면 집에서 입는 옷으로 갈아입으라고, 알았어? 니가 말을 바로 안 들으니까, 자꾸 자꾸 말하고 잔소리가 되는 거잖아! 넌 8살이야, 당장 집 밖으로 나가봐, 혼자 살 수 있는지 보게, 넌 엄마, 아빠 보호 없이는 한시도 살 수 없다는 말이야, 알겠어, 엉!" 호흡도 하지 않은 채 쉴 새 없이, 말을 거칠게 아들에게 쏟아냈다.

아들은 나를 보며 "아빠, 아빠 말이 맞아, 난 지금 밖에 나가면

혼자 못 살아. 근데 아빠 내 말은 그게 아니잖아. 아빠는 이해를 못할 거야." 울먹거리며 말을 한다.

나는 머리 뚜껑이 열리는 것을 누른 채, 마음 속으로 '그래 한 번 더 들어보자, 무슨 말을 하는지.' 중얼거리면서, "그래 아빠가 니 말을 들어 볼 테니까 이야기해 봐 잘 이해가 되도록." 아들에게 최대한 감정을 자제하면서 말을 했다.

태민이는 "아빠, 어른이면 내가 지금 책을 읽고 있으니까, 책을 다 읽으면 옷을 갈아입을 것이라는 것쯤은 알고 있어야 하는 거야, 그게 어른이라고. 그것조차 참지 못하고, 책 읽는 동안 계속해서 옷 갈아입으라고 이야기하는 건 간섭이라는 말이야, 난 그걸 아빠에게 알려 주고 싶었던 거야."

난 순간 할 말이 없어져 버렸다.

"…"

✒ 이치

우리는 사실 아이들에게 어떻게 할 때 '간섭'이라 칭하는지 모릅니다. 간섭은 상대가 간섭한다고 말할 때, 아무리 우리가 그건 관심이고 사랑이라고 말한들, 상대방 입장에서 그건 진실로 간섭입니다. 즉, **간섭인지 관심인지의 판단은 받는 상대방이 하는 것입니다.** 부모는 자식을 교육시킨다는 구실로 자식에게 '이렇게 해라, 저렇게 해라, 이렇게 하면 안 돼.' 무수히 많은 말을 쏟아냅니다. 어린아이는 특히 잘 모른다는 생각 때문에 더욱더 많은 것을 가르칩니다. 그런데 아이가 성장하면서 사춘기에 접어들면 부모에게 심한 반항을 하고 대화를 하지 않으려 합니다. 극단적인 반항으로 학교에 안 가기도 하고, 가출을 한다든가 하여 공부 잘하던 아이도 순식간에 성적이 곤두박질칩니다. 그럴수록 부모는 비뚤어진 아이를 잡기 위해 이런 방법, 저런 방법을 총동원하지만 마음먹은 대로 되지 않는 경우가 많습니다. 부모 마음이 타들어가도 자식은 전혀 부모 마음을 생각지 아니하고 자기 멋대로 행동을 하는 거에 부모는 큰 상처를 받는 거죠. 그리고 자식은 부모와 대화를 회피하게 되면서, 자연스럽게 관계가 멀어져 갑니다.

성장하는 아이에게 가장 바람직하고 올바른 교육방법은 **부모 스스로 자기 할 일이 무엇인지 바르게 알고 행하면서 부부가 서로 재미있게 웃으면서 사는 것입니다.** 엄마, 아빠가 시도 때도 없이 말다툼하면서 얼굴이 굳어 있는데, 아이한테 "친구와 싸우지 마라, 찡그리지 말고 화내지 말라." 이런 말은 이치에 맞지 않습니다. 실제로 부부가 100일 만이라도 말다툼하지 않고, 집안에서 큰소리 나지 않게 웃음꽃이 피어난다면, 아이들 역시 친구들과 사이좋게 지내고 밝은 모습으로 부모와 소통이 잘 이루어집니다. 아이가 성인이 될 때까지 부모로서 역할은 경제적으로 도움을 주는 것뿐만 아니라 아이가 부모의 그림자를 보면서 본받고 존경받을 일을 해야 합니다.

또한, 부모가 요새 아이들의 사물을 판단하고 생각하는 능력을 부모의 어릴 때 지적능력으로 비추어 보면서 아이들을 키우는 것은 시대착오적 발상입니다. 지금 아이들은 기성세대와 달리 보고 접하는 지식의 환경이 예전과 비교할 수 없을 정도로 쏟아지고 받아들여지고 저절로 알아지는 세상이기에, 아이들의 사고력을 우리 부모 잣대로 판단하고 말하는 것은 아이들에게 곧 간섭이 되고 잔소리가 되기 십상입니다. 이미 알고 있는 것을 부모가 자꾸 말한다면 아이 입장에서 대답조차 하기 싫어질 것이고, 그것이 지나치면 반항으로 이어질 것입니다. 이미 우리 아이들은 우리 부모가 바라는 바가 무엇인지 너무나 정확히 알고 있습니다. 다만 기다리지 못해 안절부절못하는 부모만 그 사실을 모르는 거죠.

'일방적이고 제멋대로인' 간섭과 달리, **관심은** 상대를 알면서 서로 의견을 나누는 것을 말하는 섯입니다. 상대가 비록 아이일지라도 아이가 어떤 생각을 하고 있는지 알기 위해 아이의 이야기에 귀를 기울이고 이해하려고 노력할 때, 비로소 부모는 아이의 생각을 알 수 있고 서로 기분 좋게 대화를 통해 문제점을 긍정적으로 해결해 나갈 수 있는 것입니다. 그러기 위해선 기다림과 인내가 필요합니다. 아이 스스로 답을 찾을 때까지 기다릴 줄 아는 어른다운 모습을 갖추어야 참된 부모입니다.

옛날에는 부모가 자식을 위해 모든 것을 희생하면서 온 힘을 다하여 너 하나만 잘 되기를 바라면서 키웠지만, 지금 우리 세대의 부모 역할은 아이들에게 온전히 사랑을 다 주는 것보다 **사랑을 현명하게 적절히 주는 법**을 알아야 합니다. 사랑도 지나치면 우리 아이를 나약하게 만들고 부모에게 아무 때나 기대는 의존성만 키우게 되니까요.

"내가 슈퍼 맘이 될수록, 아이들은 '괴물'로 변해갔다."

이유남 서울 명신초 교장의 자녀 갈등 극복 이야기

1등 향한 혹독한 교육… 두 자녀 자퇴·갈등으로… 욕심 버리기 가장 어려워

푸릇한 망울이 하나둘 하얀 꽃잎을 터뜨리던 어느 봄, 이유남(55) 서울 명신초 교장은 매일 죽음을 떠올리고 있었다. 아침에 눈뜰 때마다 여전히 펄떡이는 자기 심장을 원망했다. '어쩌면 이렇게 튼튼할까. 제발 좀 멈춰줬으면.'

◇ 우등생 자녀 둔 '슈퍼 맘'에게 무슨 일이

지옥이 있다면 여기가 아닐까. 전교 1등을 하던 순둥이 고3 아들이 4월 자퇴서를 내밀며 "부모 동의란에 도장 안 찍으면 아파트에서 뛰어내리겠다."고 했다. 이 교장을 향하는 아들 눈길엔 살기가 등등했다. 등짝을 후리자 "왜 때리느냐."고 달려드는 바람에 집 밖으로 도망쳐야 했다. 한 달 뒤엔 한 학년 아래 딸이 아빠 도장을 몰래 찍어 자퇴서를 제출했다. 딸아이는 엄마를 투명인간 취급했다. 가끔은 분을 못 이겨 온갖 욕을 쏟아내고 자해했다. 아이들은 각자 방에 틀어박혀 먹고 자고 게임하고 TV 보는 생활을 이어갔다. 컴퓨터를 부수고 인터넷 선을 잘라봤지만 소용없었다. 신경정신과에 데려가려 했더니 "'당신'이야말로 정신이 이상한 사람."이라며 난리를 쳤다. 스트레스로 숨을 못 쉬어 쓰러지던 순간 "쇼하고 있네." 하는 목소리가 희미하게 들렸다. 어느 날엔 아들과 딸이 치고받다가 딸 코뼈가 부러졌다. 그 와중에 남편 사업이 부도나 빚쟁이들이 몰려왔다. 이 교장은 "하루하루가 전쟁 같았다."고 했다. 10년 전 일이다.

그럴수록 교무실에서 더 활짝 웃으며 아무 일 없는 척했다. 그는 '슈퍼 맘'이어야 했다. 스무 살 평교사 시절부터 이 교장은 뭐든 열심이었다. 각종 교사 연수 1위를 차지하고 맡은 반마다 평균 성적을 1등으로 끌어올렸으며, 집에선 시부모까지 오래 모셨다. 그는 끊임없이 주변을 의식하며 살았다. 그는 "일등 선생이 자기 애는 얼마나 잘 키우는지 보자며 평가하는 것 같다."고 했다. 이 교장은 아이들을 혹독하게 훈련시켰다. 자녀 교육을 위해 회식도 마다하고 날마다 칼퇴근을 했다. 그가 현관에 들어서면서 가장 먼저 하는 말은 "숙제 다 했어? TV는 얼마나 봤어?"였다. 유난히 받아쓰기를 못 하던 초등 1학년 딸은 밤 11시까지 복습을 해야 했다. "엄마, 너무 졸려요." "넌 잠이 오니? 세수하고 와!" 가족여행 가는 날은 차 안에서 구구단 암기를 시켰다. 못 하면 "넌 누굴 닮아 이 모양이냐."며 닦달했다. 90점 받으면 "100점 못 받았다."고 꾸

짖고, 100점 받으면 "만점 받은 애가 몇 명이냐?"고 물었다. 아이들은 늘 주눅 들어 있었다. 초등생 아들은 교통사고로 자동차 바퀴에 5m를 끌려가 다리가 부러졌던 날도 엄마에게 혼날까 봐 "저 안 아파요!"를 외쳤다고 한다. 아이는 입원한 3개월간 쉬지도 못하고 이 교장에게 학습 관리를 받았다. 학생회장 선거 땐 이 교장이 발표문을 대신 써주고 외우도록 했으며, 포스터는 디자인 전문회사에 맡겼다. 학부모총회가 있다 하면 열 일 제쳐놓고 달려갔다. 두 자녀는 매 학기 학생회 임원을 꿰차고 공부 잘하며 예체능에도 능한 아이들로 자랐다. "어릴 땐 뭣 모르고 울면서도 엄마가 하라는 대로 따랐죠. 하지만 알게 모르게 가슴에 화가 쌓였던 겁니다. 그게 고등학교 때 폭발한 거죠. 내가 아이들을 괴물로 만든 거예요."

◇ 방문이 열릴 때까지

어느 날 이 교장은 창밖으로 세차게 내리는 비를 보고 있었다. 저 멀리 교문에서 비를 뚫고 뛰어오는 학생이 보였다. 번쩍 스치는 생각이 있었다. '저 녀석은 비가 와도, 지각을 해도 학교에 오는구나. 우리 애는 집에 있는데…. 아이가 등교하는 일상이 얼마나 대단하고 감사한 일인가?' "아이가 평범하게 사는 모습을 다시 볼 수 있다면 그까짓 공부가 다 무슨 소용일까 싶었죠. 그때부터 욕심을 다 내려놓기로 했어요."

이 교장은 **"아이에게 각자 재능과 취향이 있다는 점을 인정하는 게 우선이었다."**고 했다. "예전엔 아이가 '꿈이 없다.'고 걱정하면 '성적 좋으면 뭐든 될 수 있으니 공부나 하라.'고 했습니다. 중3 아들이 힙합 댄스부에 가입했을 때 학교에 쫓아가 독서 논술부로 바꿔버렸죠. 그러니 아이가 얼마나 화가 났겠어요?"

이유남 서울 명신초 교장(숭실사이버대 청소년 코칭 상담학과 겸임교수)은 인터뷰 중 눈물을 흘리며 "일등이 되라고 압박했던 자녀와 제자들에게 용서를 구하고 싶다."고 했다. (양수열 기자)

고민 끝에 그는 선택권을 자녀들에게 넘기기로 했다. "애 눈치를 살피며 '하고 싶은 것 없느냐'고 물으니 '그런 거 없어.' 해요. 열불이 나죠. 그럴 땐 자신을 돌아봤습니다. 아이들은 상대가 나를 비난하지 않을 거라 판단해야 비로소 마음에 있는 말을 하거든요. '어른들이 원하는 답이 뭔지 알겠지만, 그건 내 답이 아니다.'라고 생각 들면 '모른다.'고 회피합니다. '하고 싶은 게 왜 없어. 그럼 공부나 하지.' 하는 제 속내를 아이가 다 꿰뚫어 본 거죠. 욕심 버리기가 참 어려웠습니다."

　그는 아이가 '하고 싶다.'고 먼저 말할 때까지 기다리고 또 기다렸다. 수년에 걸쳐 감정코칭 강의를 듣고 역할극을 하며 자녀를 이해하기 위해 애를 썼다. 금기어는 "이건 어때?"였다. 뭐든 제안하는 건 피했다. 아이의 사소한 결정도 존중하고 지지하는 데 온 힘을 기울였다. 자퇴 1년 반 만에 딸이 제과 제빵 학원을 가고 싶다고 하자 "좋은 생각."이라며 학원비를 건넸다. 제과 제빵 대학에 진학한 뒤 '이게 아닌 것 같다.'며 두 달 만에 그만둘 때 "살아만 있으면 돼"라고 했다. 수능을 보고 입학한 수도권 대학 사회복지학과를 두 달 만에 자퇴할 때도 "가슴 뛰는 다른 일을 찾아보자."고 했다. 아들은 학사경고를 받으며 휴학을 거듭하다 뒤늦게 대학을 졸업했다. "화가 끓어올랐죠. 등록금이 얼만데요. 하지만 그럴 때마다 예전 시옥 같던 시절을 떠올렸습니다. 방 밖으로 나와준 것만 해도 감사한 일이라고요."

－ 이하 중략 －

조선일보 기사 (2017. 9. 18.)

3.
「나는 왜 의사가 되었을까?」로 풀어본
비밀의 문

✎ 상황

"엄마! 제발 죽지 마세요. 제가 꼭 낫게 해 드릴게요. 조금만 더 견디어 주세요. 엄마… 응?"

제마의 간절한 이 말은 엄마에게 전달되지 못했다. 엄마는 이미 이 세상 사람이 아니었고 더 이상 아무런 대답도 없었다. 흐느끼는 울음소리만 주위에서 나직이 들릴 뿐, 무겁고 무거운 적막이 엄마 주위를 감싸 안았다.

제마는 서울대학교 법학과를 다니는 수재였다. 그러나 엄마의 죽음이 제마로 하여금 의학을 전공하도록 만들었고, 제마는 엄마의 죽음이 간암이라는 사실을 알고, 그 분야 최고 전문의사가 되기로 결심했다. 그리고 10년 후 제마는 엄마가 마지막 순간까지 입원해 있었던 대학병원 전문의로 근무하게 되었고, 얼마 안 있어 간암 분야에선 국내 최고 전문의로 두각을 나타냈다. 제마는 인턴, 레지던트를 거쳐 의학박사 학위를 따기까지 힘들 때마다 엄마

가 고통스럽게 치료하다 떠난 입원실에 가서 눈물을 흘리면서 다
짐하고 또 다짐했다.

"엄마, 다시는 엄마처럼 간암으로 아프게 죽는 사람이 없게 만
들게요."

이제 제마는 국내 간암 분야 최고 전문의가 되었고, 간암 투병
중인 환자라면 누구나 제마에게 와서 수술을 받고 싶어 했다. 수
술 예약 날짜만 해도 족히 6개월은 기다려야 제마의 얼굴을 겨우
볼 수 있었다.

그렇게 대학병원에서 간암 전문의로 5년을 바쁘게 지낸 후, 제
마는 강남에 내과 중형병원을 설립하고, 병원장이 되었다. 이제
수술은 경력과 실력을 겸비한 우수한 월급제 의사들이 주로 전담
하게 되었고, 사실상 제마는 원장실에서 병원 행정업무 등 관리
분야에 더 신경을 썼다.

제마는 중형병원을 운영하면서 과거 대학병원에서 눈코 뜰 새
없이 바쁘고 긴장의 연속이었던 날들과 달리, 여유롭고 풍요로
운 삶을 살기 시작했다. 더불어 간암으로 세상을 떠난 엄마의 모
습이 서서히 흐려져 가면서 어느 순간 엄마의 고통스러운 얼굴이
더 이상 떠오르지 않았다.

병원 운영이 잘 되어 수익이 계속 불어남에 따라 행복도 계속

커질 것이라고 생각을 했던 제마는 요즘 들어 삶이 재미가 없고 무미건조해져 갔다. 통장에 돈이 많이 쌓여 가는 것을 보면 한없이 즐겁고 기뻐야 할 텐데, 꽉 막히고 답답하고 갑갑한 마음뿐이었다. 너무 무거운 마음에 잠자리에 누운 제마는 천장을 바라보면서 스스로에게 되물어봤다.

"나는 왜 의사가 되려 했을까?"

⬥ 이치

제마가 의사가 되려 했던 목적이 무엇인지를 보면, 제마는 간암으로 세상을 떠난 엄마를 보고 의사가 되어 아픈 사람을 치료하고 고치는 일을 목표로 삼은 것입니다. '의사'라는 직업은 아픈 사람을 치료하고 고치는 일을 하기 위한 도구일 뿐입니다. 여기서 제마가 추구하는 진정한 가치는 아픈 사람을 치료하고 고치는 일이고, 제마는 이 가치가 변하거나 사라진다면 더 이상 의사로서 존재하는 이유를 상실하게 되어 삶이 무미건조해져 버립니다. 우리가 진정 바라고 추구하는 가치와 그 가치를 이루도록 도와주는 직업 또는 돈은 영혼과 육신의 관계처럼 합일되어 있습니다. 우리는 영혼이 추구하는 가치가 무엇인지에 따라 직업을 선택하고 일을 해야만 신바람이 나고 보람된 삶을 사는 것입니다. 그토록 우리가 바라던 돈 역시 영혼이 추구하는 가치의 크기와 깊이에 맞추어 흘러들어 올 뿐입니다. 제마의 영혼이 추구하는 가치는 병든 사람을 고치고 치료함으로써 보람을 느끼는 것이고 이를 위해서 제마는 직업으로 의사를 선택한 것입니다. 여기서 의사가 된 제마가 아픈 사람을 돌보지 아니하고, 병원장으로서 행정업무만 했다면 애초 제마가 추구했던 가치와 다른 일을 하는 꼴이 되어 버린 것입니다. 그래서 병원을 운영하면서 벌어들인 수익이 차곡차곡 통장에 쌓여간다 한들 제마의 영혼은 이제 즐겁지 않습니다. 즉, 제 할 일을 제대로 하지 않고 있으니 재미가 없고 삶이 무미건조해져 버린 거죠.

우리가 추구하는 가치가 무엇인지는 각자의 소질과 재능, 그리고 주어진 환경에 따라 천차만별 다르게 생성됩니다. 어떤 계기로 인해서 원래 추구했던 가치가 변하기도 합니다. 예컨대 자동차 디자이너가 되고자 하는 어린아이가 있습니다.

[추구하는 가치] 아이는 현재 타고 다니는 자동차의 매연으로 말미암아 지구환경이 오염되고 병든다는 생각에 대체에너지를 이용하여 동력을 구동시키는 방법이 무엇이 있을까에 대한 생각,

네 바퀴로 땅을 달리는 자동차를 바퀴 없이 공중으로 순간 이동을 할 수 있도록 하여 차량정체 문제를 해결하겠다는 생각, 그리고 자동차를 수백, 수천 배 축소시켜 바지 호주머니에 넣고 다닐 수 있게 하여 주차난 해결을 하겠다는 생각을 시도 때도 없이 합니다.

[가치를 이루는 수단] 이런 사회적 문제를 해결하기 위해 아이는 자동차 디자이너가 되기로 마음먹고, 어른이 되어 실제 자동차 디자이너가 되었습니다. 그러나 현실은 어릴 때 추구했던 가치를 실현하기 위해서라면 자동차 디자이너가 아닌 발명가 또는 과학자가 되어야 가능하다는 것을 알았다면, 아이는 추구하는 가치를 위해 자동차 디자이너 직업에서 발명가 또는 과학자로 길을 바꿀 수 있는 올바른 선택을 할 수 있고 그 길을 가는 과정이 보람된 일을 한다는 생각에 스스로 즐거워질 것입니다. 사회에 기여하는 일을 함으로써 스스로 즐거워하는 것을 보고, 우주는 어떤 방법을 통해서라도 그것이 영감일지언정, 도움을 주어 그 사람으로 하여금 이상을 현실로 바꿀 수 있게 합니다.

그 자체로 할 만한 가치가 있는 일을 가리켜 '자기 목적성'이 있다고 말한다. 그 자체 내에 목적을 포함하고 있다는 뜻이다. 이렇게 자기 목적성이 있는 활동을 추구할 때, 우리는 구태여 외부로부터 대가를 필요로 하지 않는다. 반대급부나 찬사가 없더라도, 우리는 기타를 연주하거나 도보 여행을 떠난다든지 좋은 소설 한 권을 읽는다. 달리 표현하자면, 이런 활동은 내부로부터 자체적으로 대가가 주어지는 활동이다. 가장 큰 보상은 이런 일에 참여하고 있다는 사실 자체에 있기 때문이다.

– 『몰입의 경영』에서

현실 **관찰의 힘**이 세상을 바꾸고 변화시킨다.

4.
「버릇없는 조카와 낯 놓은 외삼촌」으로 풀어본 비밀의 문

◈ 상황

13살 먹은 여자 조카는 힘이 막강하다. 찢어지게 가난했던 집안에서 나름 자수성가하여 돈을 제법 만지고 있는 누나의 철통방어벽을 뚫고 누나의 외동딸인 이 어린 조카를 혼내기란 그리 쉽지 않다. 누나는 남동생인 나에게 은혜를 베풀어 주었다. 사업실패로 가족이 풀칠조차 못 했던 나의 처지를 동정하여 거금 3,000만 원을 무이자로 빌려주었다. 1년만 딱 사용하고, 그 사이에 돈을 왕창 벌어 누나에게 빌린 돈을 금방이라도 갚을 것 같았는데, 그건 상상으로 끝이 나버렸고 현실은 아직 갚지 못하고 있는 상황이다.

아마 그때가 추석 당일이었던 것으로 기억이 난다. 등짝이 왜 이리 간지럽던지 옆에 벌러덩 누워서 핸드폰을 만지작거리고 있던 버르장머리가 없는 조카에게 등을 긁어 달라 했는데, 그 순간 내 입에서 단발성 "악!" 소리를 쏟아 냈다. 내 등짝을 손톱으로 얼마나 후벼 팠던지 그 아픔에 나도 모르게 소리를 질렀고, 이 무자비한 행동을 감행한 조카를 혼내 주려고 막 일어났는데….

난 이 조카의 어미이자 나에겐 하늘 같은 은혜를 베풀어 주었던 누나의 눈치를 먼저 살폈다. 그리고 이 어색한 상황을 벗어나고자 다른 방으로 이내 자리를 떴다.

조카는 고모에게도 삿대질하면서 함부로 이야기를 하고, 어른들이 지나다니든 말든 개의치 아니하고 방바닥에 벌러덩 누워서 스마트 게임을 여전히 하고 있다.

난 이 버르장머리 없는 조카에게 예절교육을 시켜야 할지 말아야 할지에 대해 고민에 빠졌고, 이로 인해 발생한 부정적인 상황에 대해 혹시라도 빌려준 돈을 갚으라고 하면 어쩌나 하는 처량한 생각에 조카 교육은 과감히 포기하고 수용하기에 이르렀다.

✎ 이치

어른이 어른답지 못한 행동을 하면 어린아이에게 어른으로 대접을 받지 못하는 것은 당연합니다. 사업실패로 궁핍하게 살고 있는 외삼촌이 잘사는 누나의 딸인 조카를 예절교육이라는 명분 하에 어떻게 혼을 낼 자격이 된다는 말인가요. 버르장머리 없는 조카를 혼내기 전에 자신부터 혼을 낼 자격이 있는지 자기 자신부터 살펴봐야 합니다. 본인도 인정했듯이 가족이 풀칠조차 하지 못한 처지에 누나가 돈을 빌려주어 그 궁핍이 해소되었다면 다시는 가족에게 돈을 빌리는 행위를 하지 않기 위해서라도 정신 바짝 차리고 재기를 하기 위해 쉼 없는 노력을 해야 합니다. 누나에게 빌린 돈을 갚고 나서, 그리고 나 자신이 남한테 동냥질을 할 처지에서 벗어날 때에야만 비로소 주위에 모순들을 해결할 능력이 생기는 법입니다. 상황에서 외삼촌이 등이 간지러워서 조카에게 등을 긁어달라고 했는데, 등짝을 후벼 판 행위는 신이 조카의 이런 행위를 통해 외삼촌에게 '우리 엄마한테 빌린 돈을 빨리 갚아, 이놈아!', '사람 구실 제대로 하려면…'라는 말을 전한 것과 진배없습니다.

조카가 버르장머리 없는 행동을 해도 어른으로서 제 역할을 제대로 못 하는 처지를 신이 나무란 것인데, 그렇다면 나부터 올바르게 서야 하는 것은 너무나 당연하고, 외삼촌이 남부럽지 않게 생활한다면 조카는 버르장머리 없으려 해도 그리되지 않습니다. 윗물이 맑아야 아랫물이 맑다는 속담처럼 외삼촌이 사회에서 존경받는 일을 하고 있다면 이런 외삼촌 밑에 버르장머리 없는 조카란 있을 수 없습니다. 먼저 나 자신부터 갖추어 놓기 바랍니다.

버르장머리가 없는 조카 교육은 다른 관점에서 접근해야 합니다. 요즘 부모는 자녀에게 넘치는 사랑을 주다 보니, 물질적으로 부족함을 느끼지 못하고 크는 어린아이는 물질의 소중함을 모르는 경우가 많습니다. 눈에 넣어도 아프지 않을 예쁜 내 딸을 부모 아닌 다른 사람이 자녀의 못된 버릇에 대해 지적이라도 할라치면 쌍수를 들고 달려 나와 방어를 하고 오히려 자녀를 혼내는 윗사람과 말다툼까지 합니다. 부모가 제대로 된 자녀교육을 하지 못해 빚어지는 사회의 모순에 대한 책임은 나중에 부모가 고스란히 돌려받습니다. 비행 청소년, 부모에게 주먹을 휘두르는 아들, 아버지 사망 후 유산문제로 형제간 다툼, 마약중독자인 딸, 이런 바람직하지 못한 결과물에 대한 원인은 부모의 자녀에 대한 올바른 교육 부재에 있습니다. 그러니 결과에 대한 책임을 부모에게 자녀가 묻습니다. 어떤 식으로 묻냐구요? 비행 청소년을 둔 부모는 그 자녀가 원수처럼 생각이 들 정도로 자식을 대할 것이고 그로 인한 마음고생과 스트레스는 부모의 마음을 병들게 하여 몸까지 아프게 만들 것입니다. 잘못 키운 대가로 결혼까지 한 아들이 술을 먹고 찾아와서, 사업자금 대 달라면서 생떼를 부리는 과정에서 아버지에게 폭력을 행사하는 것 역시 결과에 대한 책임을 나중에 부모에게 묻는 것입니다.

이와 같이 자녀를 부모가 올바르게 키우지 못할 경우 그다음 책임은 주변 고모, 삼촌 등 친척들에게 있습니다. 조카의 못된 버릇과 옳지 못한 행동을 보고 모른 체하고 넘어간다면, 조카는 자신의 언행이 잘못된 것인지 몰라서 커 가면서 잘못된 습관으로 고착됩니다. 외동딸을 둔 누나는 딸의 잘못된 행동조차 예뻐 보이는 경우가 있기 때문에 이럴수록 외삼촌의 뼈있는 충고가 어린 조카를 나중에 성인이 되어 사회에 나가서 욕먹지 않게 만드는 결과를 만듭니다. 상황과 같이 누나에게 신세를 입어 제대로 된 목소리를 내지 못하고 있다면, 외삼촌 먼저 자신을 잘 갖추어 놓고 누나와 조카에게 바른 목소리를 내야 합니다.

학교 선생님 역시 학생들을 바르게 가르치지 못해 발생한 사회적 병폐에 대한 책임으로부터 자유롭지 못합니다. 학창시절 선생님의 강압적, 편파적 훈육과 체벌로 인한 안 좋은 추억을 간직한 채 사회에 진출한 사람은 평생 학창시절 학교 선생님에 대한 안 좋은 감정과 시각을 가지고 있기 때문에 자신이 현재 위치에서 어려운 상황을 맞이하게 된 원인을 학교 선생님의 잘못된 교육으로 탓을 돌릴 수 있고, 다시 학교에 찾아와서 밀걸레를 들고 선생님을 때린 폭행사건도 그에 대한 책임을 선생님에게 묻는 것과 같습니다.

이와 같이 아이가 커서 성인이 되기까지 교육은 부모만 하는 것이 아니라, 부모가 못하면 고모, 삼촌과 같이 일가친척이 올바른 교육을 해 주어야 하고, 또 학교 선생님 역시 교육의 한 축으로써 제 역할을 해야 하며, 우리 이웃집 아저씨, 아줌마 역시 방관만 하지 않고 아이의 잘못된 언행은 바르게 잡아주어야 할 책임이 있다 할 것입니다.

5.
「내 아이만큼은 최고로 키울 거야」로 풀어본
비밀의 문

✎ 상황

준수는 현재 신의 직장 '○○○공사' 직원으로 명문 K 대학교 경제학과를 졸업했다. 준수 어머니는 준수를 K 대학교에 보내기 위해 어릴 때부터 각종 사교육을 받게 했고, 그 결과 준수는 어머니의 기대를 저버리지 않고 일류대학, 신의 직장, 이런 코스로 진행하고 있는 중이다. 준수가 회사에 근무한 지 3년째 되는 날, 준수는 어머니의 엄청난 반대를 무릅쓰고 회사에 사직서를 제출했다. 이유는 지금부터라도 하고 싶은 서양화가의 길을 가겠다는 것이다.

준수 어머니는 나이 먹어 미술학원에 다니는 준수를 보면서 한탄을 했다. "너에게 쏟아부은 돈만 2억이야, 2억! 너 하나 잘 키우려고 그 갖은 고생을 마다치 않고 희생을 했는데, 그 대가가 고작 백수라니…"

그러나 준수는 그런 신세 한탄을 하는 어머니를 보며, "저한테 누가 그렇게 많은 돈을 투자하라고 했나요, 그동안 엄마 기대에 맞춘 세월이 저도 아깝다구요."라며 투덜댔다.

✎ 이치

밤늦게 아내와 함께 우연히 TV에서 '사교육'이란 주제를 다룬 다큐멘터리를 보았는데, 그 내용은 '우리 사회에서 사교육비로 지출된 비용이 아이 한 명당 2억 원 정도 되는데, 이런 사교육비로 인해 부모의 노후 생활이 열악해진다. 사교육의 효과는 분명 존재하고, 어릴 때부터 사교육을 받지 않은 아이의 경우 특목고, 외고, 자사고를 가지 못해 소위 일류대학에 가지 못한다.' 이런 내용으로 이루어졌고, TV 방송이 끝난 다음 아내와 저는 새벽 늦게까지 사교육 문제를 놓고 토론을 한 적이 있습니다. 아내의 주장은 "유아기 때부터 수준 높은 사교육을 받은 아이와 평범한 교육을 받은 아이 간 격차는 좁혀지지 않는다. 주변 학부모들이 영어학원, 수학학원, 피아노 학원, 논술학원 등 이런 교육을 줄줄이 아이들이 받게 하고 있는데, 우리 아이만 학교에서 받은 수업만으로 경쟁이 될 수 있겠는가?"에 대한 깊은 불안감을 토로하였는데, 사실 아내의 주장은 일면 이해가 되는 면이 없진 않았습니다.

우리는 아이의 진정한 성공이 무엇인지 깊게 고민을 하고, 정립을 명확히 해야 합니다. 부모가 아이들 교육을 어떻게 해야 할지 방향을 정하지 못해 주변 사람들 의견에 휩쓸리고 그냥 따라가다 보면 어느새 아이의 인생은 내 의도와 달리 전혀 다른 곳에 도달해 있기 마련입니다. 우리는 아이를 소위 일류대학을 보내는 이유로 더 많이 배울 기회가 주어지며, 주위환경이 잘 만들어져 있어 무한한 자기계발을 통해 꿈과 이상을 실현하기에 '좀 더' 다가설 수 있으며, 명문고, 명문대학을 졸업하면 학연으로 끈끈하게 맺어진 한국사회일수록 출세할 확률이 커진다는 것에 있을 것입니다. TV 방송에서 출연한 공부 잘하는 학생과 그 부모의 인터뷰를 보니까, 부모는 "우리 아이에게 최대한 투자하고 싶어요, 아이가 영어든 수학이든 무슨 과목이든 너무나 잘 따라오고 두각을 나타내니까, 부모로서 우리 아이를 잘 교육하는 것이 아이를 위한 책임이라고 생각해요."라고 말을 합니다. 그런데 이상하게 저는 그 부모의 인터뷰보다, 아이의 **거북이목** 자세에 눈길이 머물렀습니다. **성공**은 분명히 부모 입장이 아닌 **아이 입장에서** 행복을 느끼고 즐거운 삶을 누릴 수 있어야 합니다. 아이가 행복을 느끼고 즐거운 삶을 누리기 위해서는 그 대상이 어릴 때는 단순히 흥미가 있고, 재미있고, 관심 있는 분야 그리고 소질이 있는 분야로 처음엔 출발하고, 그 출발이 종국에는 사회에 조금이나마 기여하고 땅에 뿌린 한 톨의 씨앗이 나무로 성장하여 사회를 이롭게 하는 일이어야만, 그 일로 말미암아 아이는 커서 행복과 기쁨, 즐거움이 넘쳐날 것입니다. 성공을 하기 위해선 흔히들 말하는 필수 코스인 영어유치원을 거쳐 사립초, 사립중, 특목고(외고, 자사고)를 나와 일류대학을 들어가야만 성공 딱지를 붙여준다는 법칙은 존재할 수 없습니다.

> 기존 성공 = 영어유치원 → 명문 사립 초·중 → 특목고 → 일류대

요즘 학원에서 초등학교 저학년 학생에게 '층간소음 해결법'이란 주제로 논술하라는 문제를 내, 그 학생은 엄마의 도움을 받아 거의 대학 논문 수준 분량의 리포트를 제출하였다고 하는데요. 그 문제를 낸 학원 원장에게 한번 되묻고 싶습니다. 우리 사회는 층간소음 해결을 하기 위해 어떤 대책 마련을 했고, 그 대책이 실제로 실효성을 발휘하고 있는지, 그리고 층간소음 원인을 분석하기 위해 아파트 구조물의 해박한 지식을 갖춘 박사님들조차 현재 해결을 하지 못해 전진긍긍하는 마당에, 이제 초등학교에 입학한 아이들에게 층간소음 해법을 제시하라는 문제를 냈다는 것은, 우

리 어른들이 풀지 못한 숙제를 아이들에게 책임 전가하여 풀어달라고 강요하는 것과 다를 바 없습니다.

기존 교육 시스템과 사교육을 통해 현재 사회의 모순점과 미래에 다가오는 기회들을 받아들여 우리가 올바르게 사회에 적용한다는 것은 단연코 불가능합니다. 어떻게 과거의 지식의 산물을 가지고 미래 세상을 열 것이며, 현재 모순들을 풀어낸다는 말인가요?

직업도 마찬가지입니다. 예컨대 한때 변호사로 개업하면, 누구나 손쉽게 떼돈을 벌었던 때가 있었지만, 지금은 변호사 수가 급증하여 수요와 공급의 원칙에 따라 경력과 실력이 겸비된 변호사만이 한정적으로 돈을 벌고 있는 시대로 변하였습니다. 시대의 흐름에 따라 기존 성공의 이미지는 퇴색되어 가는데, 현재 아이들이 받고 있는 기존 교육은 '어떤 성공'을 하기 위한 교육인지 의문입니다.

우리 아이들이 미래에 성공적인 삶을 살기 위해서는 기존 엘리트 코스를 통한 성장만이 성공 보증수표라는 얼토당토않은 주장을 하기보다는, 아이들이 미래 사회에 무슨 일을 하는 것이 사회 발전과 인류 번영에 도움이 되는지 진지하게 고민할 수 있는 환경을 만들어 주고, 그 답을 찾는 과정에서 우리 부모가 최대한 뒷바라지를 해 주어야 할 것입니다.

- 미래 성공

  우리 사회를 발전시키고, 이롭게 하는 일이 무엇인지 스스로

  답을 찾아내고, 그 일을 통해 기쁨과 보람을 느끼는 것

'놀기' 공부는 따로 없나요?

절벽 가까이

절벽 가까이로

나를 부르셔서 다가갔습니다.

절벽 끝에 더 가까이 오라고 하셔서

더 가까이 다가갔습니다.

그랬더니 절벽에

겨우 발을 붙이고 서 있는 나를

절벽 아래로

밀어버리시는 것이었습니다.

물론 나는

그 절벽 아래로 떨어졌습니다.

그런데 나는 그때서야 비로소 알았습니다.

내가 날 수 있다는 사실을.

- 로버스 슐러 -

6.
「바보 엄마를 둔 우리 아이」로 풀어본
비밀의 문

◆ 상황

태민이는 오늘 8번째 생일이다. 직장을 다니는 엄마는 오늘 일찍 일어나 큰 책장 위에 "태민아! 생일 축하해."라는 문구가 있는 기다란 플래카드를 걸어두고 상에 미역국, 떡, 과일을 차려 놓은 후, 자고 있는 태민이를 흔들어 깨웠다. 생일을 맞은 태민이는 기분이 날아갈 듯 좋았고, 미역국이 놓여 있는 상 앞에 앉아 꿀떡을 집어 먹으려 했다. 그 순간 엄마는 "잠깐만, 사진을 찍어야지."라면서, 핸드폰으로 사진을 연신 찍어 댔다. 태민이 보고 "웃어, 웃으라니까…"

초등학교 수업이 끝난 후, 태민이는 외할머니가 생일선물로 사주신 'RC 카'가 택배로 어서 빨리 도착하기만 기다렸다. 그런데 저녁 늦게도 'RC 카'는 오지 않았고, 태민이의 큰 실망감에 놀란 아빠는 인터넷으로 택배사 배송조회를 해 보았다. 배송조회 결과, 현재 RC 카는 '옥천 HUB 간선상차'였고, 추석 연휴 2주 전이라서 그런지 택배는 언제 도착할지 알 수 없는 상황이었다. 태민이는 어릴 때부터 자동차를 정말 좋아했고, 길을 가다 자동차만 보면 어떤 회사에서 만든 차인지, 차 이름이 무엇인지, 차의 기능은 어떻고 저렇고, 자동차에 대한 관심이 남달랐다. 그런 그가 생일날에 맞추어 도착할 것으로 기대했던 RC 카가 집에 도착하지 않자 실망감에 그만 눈물까지 보인 것이다.

밤 9시경 엄마는 태민이에게 그림일기를 쓰라고 말했다. 태민이는 일기장에 "오늘은 내 생일이어서 참 기쁘다. 생일선물로 RC 카를 받기로 했는데 도착하지 않아 속상했다. RC 카는 현재 옥천 허브에 있고, 어서 빨리 내게로 왔으면 좋겠다." 라고 썼고, 이를 본 엄마는 태민이에게 "일기장에 RC 카 이야기만 모두 쓰니? 아침에 엄마가 생일상 차려준 것, 저녁에 아빠, 여동생과 함께 생일잔치 해준 것 이런 내용도 다 써야지!" 큰 소리로 이야기했다. 이렇게 말하는 엄마를 태민이는 말똥말똥 쳐다보면서, 도대체 일기를 어떻게 써야 엄마 마음을 흡족하게 해 주는지 의아스런 표정을 지었다.

✒ 이치

그림일기는 아이가 하루 있었던 일 중, 가장 기억에 남은 것, 즐거웠던 일, 슬펐던 일 등 아이 마음속에 떠오르는 추억을 고작 수십 자의 글로 압축해 놓는 것입니다. 말이 아닌 글로 하루 있었던 모든 사소한 일까지 다 담아내려면, 아마 수백 장의 원고지가 필요할 것입니다. 그런데, 겨우 300 자간 남짓 되는 초등학교 일기장 네모 칸에 띄어쓰기까지 하면서 오늘 하루 일기를 쓴다면, 당연히 가장 기억에 남은 것을 중심으로 쓸 수밖에 없습니다. 너무나 당연한 것 아닌가요? 그런데도 엄마는 태민이를 꾸짖습니다. 일기장에 'RC 카 이야기'만 도배를 해 놓았다고 큰소리로 나무랍니다. 누가 바보 엄마 아니랄까 봐 그런 엄마를 맑은 눈으로 쳐다보며, 엄마의 마음까지 헤아려야 합니다. 엄마 기분이 좋으려면, 엄마가 일기장에 무엇을 써야 할지 알려 준 것처럼 오늘 있었던, 특히 엄마가 생일상에 미역국, 떡을 차려주고, 가족 모두 둘러앉아 생일 축하를 해 주고 등 이런 내용을 써야 한다고 생각을 고쳐먹습니다. 그리고 그다음 일기를 쓸 때부터 태민이는 엄마를 먼저 떠올립니다. 엄마 마음에 들게 일기를 쓰려면 어떻게 수십 자밖에 안되는 글지에 다 담아 표현해야 할지 고민하고 또 고민합니다. 이게 바로 우리 아이의 현실입니다. 부모가 아이를 키울 때,

아이는 부모의 생각처럼 일거수일투족을 맞추어야 하고, 눈치를 보면서 생활한다면, 아이는 또 하나의 부모 그림자일 뿐입니다. 아이를 올바르게 키우고 싶다면, '자유'를 주세요. 연필을 왼손으로 쥐고 쓰든, 연필을 45도 각도로 엄지와 검지를 이용해 바르게 안 잡고 네 개의 손가락으로 움켜잡고 쓰든 제발 간섭하지 말아 주세요. 자유를 잃어버린 아이는 어떠한 것도 스스로 할 수 없답니다.

일기는 내 마음이 일으키는 대로 쓰는 것입니다.

그림일기

- 오늘 기쁜 일, 오늘 잘한 일, 오늘 감사한 일을 주제로,
  한 줄 일기를 쓴다.

- 잠들기 전 30분 동안 '씨앗'을 뿌리고, 기상 후 30분 동안
  고요히 '열매'를 수확하는 습관을 갖는다.

  - 원하고 바라는 것이 무엇인지, 그리고 왜 원하고 바라는 지에
    대해 생각의 밭에 씨앗을 뿌리고, 생각의 밭에 뿌린 씨앗이
    잠자는 동안 영감으로 열매를 맺도록 하자.

7.
「사랑하는 아들과 딸을 떠나보내는 엄마의 마음」 으로 풀어본 비밀의 문

✎ 상황

진이는 출판사 과장으로 올해 나이 43살인 이혼녀이고, 전남편과 사이에 올해 17살인 아들과 15살인 딸이 있다. 아들은 엄마인 진이가 10년 전에 이혼하면서 도맡아 키워왔고, 딸은 전남편인 아빠가 키워왔다.

진이는 요즘 마음이 무겁고 아프기만 하다. 고등학생인 아들은 엄마와 말다툼을 하였는데, 아빠한테 가서 살겠다고 홧김에 이야기하여 엄마 마음에 배신감을 느끼게 하였으며, 아빠하고 살고 있는 딸은 엄마하고 살고 싶다고 고집을 부리는 중이다.

사실 진이는 10년 전 전남편과 이혼 후, 혼자 아들을 키워오면서 넉넉지 못한 월급으로 아들 뒷바라지를 하다 보니 대출금이 계속 불어나 지금은 경제형편이 아주 안 좋은 상태였다. 전남편은 원래 돈만 소중히 여기는 집안의 장남으로 나름 4층 건물에 깨끗하고 큼직한 아파트도 한 채 소유하고 있었다.

어젯밤에 진이는 아들과 딸에게 가슴 아픈 이야기를 했다. "엄마가 이렇게 너희하고 같이 살면 계속 엄마 수중에 돈이 없어져서 빈털터리가 되어 버릴 지경이야, 그러니 너희 둘 함께 잘사는 아빠에게 가서 사는 것은 어떠니?"

아들은 엄마 말에 화가 났는지 방문을 닫고 들어가 버렸고, 딸은 아빠하고 더 이상 살고 싶지 않다면서 엄마하고 살고 싶다고 매달렸다. 진이는 머리가 혼란스러워졌다. "대체 어떻게 해야 아이들에게 행복을 주는 것일까?"

✎ 이치

부부가 이혼하면서 자녀를 한 명씩 맡아 키우기로 한 후 10년 동안 키워 놓았더니 자녀가 서로 다른 쪽 부모한테 가겠다고 하면, 어떻게 대처해야 올바른 것인지 혼란스럽기만 합니다. 진이가 키운 아들은 엄마의 바쁜 직장생활로 말미암아 엄마가 집에 늦게 오고 엄마의 경제 상황이 그리 여유롭지 않아 자신이 하고 싶은 것들을 마음껏 하지 못한 불만감이 있던 차에, 친아빠와 여동생이 살고 있는 더 나은 주거지를 보고 지금 엄마와 단둘이 사는 좁디좁은 주거환경에서 벗어나고 싶었을 것입니다. 반대로 아빠와 살고 있던 딸은 어릴 때 엄마와 헤어져서 엄마의 사랑을 받지 못한 상태이다 보니, 환경이 비록 예전만 못하더라도 부족한 엄마의 사랑을 받아 보고 싶었을 것입니다.

아이를 정(情)으로 키우는 것은 유아기일 때 하는 이야기입니다. 청소년기에 접어들면, 부모는 아이를 내 방식대로 이끌어 가려 하기보다는 아이의 의견을 어느 정도 받아주면서 서로 의논하는 관계로 바꾸어야 합니다. 엄마인 진이가 키운 아들을 친아빠에게 보내고, 친아빠가 키워온 딸은 엄마에게 오고 싶어 할 때, **그 기준은** 진이 스스로 아이들을 바르게 키울 수 있는 자격이 있는가를 보면 어떻게 처신해야 바른지를 알 수 있습니다. 진이의 현재 형편이 경제적으로 안 좋아 아들의 교육을 뒷바라지할 수 없는 상황이라면, 경제형편이 더 좋은 친아빠에게 보내주어야 하는 것이 맞습니다. 어찌 보면 아들은 스스로 자기가 있어야 할 곳을 찾아가는 것일 수도 있습니다. 만약 친아빠의 성격이 진이가 보기에 아이들에게 악영향을 끼칠 것이 우려되어 아들과 딸 모두를 키우고 싶다 하더라도, 현실적으로 진이의 경제 형편상 아이들 뒷바라지를 제대로 할 수 없다면 진이는 아이들을 키우면 안 됩니다. 유아기가 지난 8살부터 성인이 되기 전까지 자녀의 양육 대상자가 꼭 부모일 필요는 없습니다. 요즘처럼 맞벌이 부부가 많은 세상에 시간적 제약이 많은 부모 밑에서 크다 보면, 부모로선 많은 시간을 아이들과 보내지 못한 미안함에 잘못한 일이 있어도 눈감아주면서 넘어간 일이 자주 있을 것이고 그런 잘못된 행동을 바르게 잡아주지 못해 성인이 된 후에 사회에 피해를 주는 일이 발생하는 것은 자명한 일입니다. 또 자녀로선 사춘기를 맞아 신체적, 감정적 변화를 부모가 제대로 감지하여 그 변화에 대한 상담을 자녀와 서로 의논하고 해결점을 모색해야 하는데, 엄마, 아빠의 바쁜 직장생활로 대화할 시간이 부족함에 따라 자녀는 마음의 문을 굳게 닫게 됩니다. 이런 경우는 자녀를 올바르게 키울 수 있는 사람을 구하여 그 사람이 자녀를 키우게 하는 것이 맞습니다. 직장생활로 바쁜 엄마가 자녀 양육 역시 엄마만이 훌륭히 행할 수 있다는 생각은 아이들로 하여금 긴장감과 압박감을 조성케 하여 안 좋은 에너지를 만들어 냅니다. 이 에너지를 먹은 우리 아이가 올바르게 성장할 것이라는 기대는 이치에 맞지 않습니다. 유아기가 지났다면 이제 부모가 꼭 아이를 키워야 한다는 고정관념은 버리세요. 키울 자격이 있는 사람만이 우리 아이를 올바르게 키운다는 사실을 아셔야 합니다.

사실 부모가 아이에게 줄 수 있는 지상 최고의 선물은 우리 아이가 어떠한 소질과 재능이 있고, 이를 가지고 사회에 무슨 일을 하여 이바지할 수 있고, 더 나아가 인류에 공헌할 수 있는 것인가에 대해, 아이 스스로 찾아갈 수 있도록 길을 열어주는 것입니다. 열어준다고 하여 자기 방식대로 아이를 억지로 이끌고 가라는 것이 아니라, 아이 뒤에서 보살펴주는 정도를 말합니다. '보살펴준다.'는 의미는 지속적인 관심을 보이라는 뜻이지, '간섭하라.'는 말이 아닙니다. 자녀에 대한 부모의 지나친 사랑은 아이 앞에 다가온 시련과 부닥친 현실에 아이가 조화롭고 현명하게 대처하는 법을 배우지 못하게 하여, 나중에 성인이 되더라도 어른으로서 자격을 갖추지 못한 무늬만 어른인 사람이 되어 버립니다.

이혼녀인 진이는 아이들이 어릴 때 아빠와 이혼하여 정상적인 가정에서 아이들을 키우지 못한 것에 대한 '미안함'이란 정(情)에 얽매여 있어 우리 아이들을 어떻게 키워야 할지에 대한 무거운 고민을 하고 있지만, **사실 이보다 더욱 중요한 것은** 진이 스스로 인생을 즐겁고 알차게 사는 것입니다. 부모가 사회에서 올바르게 사는 노력을 진실로 하지 않는다면, 아이들은 부모의 현재 모습 그대로를 배우며 커갈 것이기 때문에 아이들이 사회에서 잘못된 행동으로 말미암아 일어나는 아픔은 다름 아닌 부모인 진이에게 고스란히 돌아옵니다. 즉 부모가 먼저 사회에서 반듯하게 내 할 일을 제대로 하고 있다면, 빗나가 있는 불량 청소년은 절대 있을 수 없는 법입니다. 설령 있다 하더라도 어느 시점이 되면 올바른 아이로 바뀌어 있을 뿐입니다.

8.
「담배 피우는 청소년」으로 풀어본
비밀의 문

✎ 상황

장길산은 신학대학 3학년에 재학 중인 목사 지망생이다. 방학 동안 농사일을 하는 아버지를 돕기 위해 잠시 고향에 내려왔다가, 오랜만에 만난 고향 친구를 만나 식사를 하고 헤어져서 집에 돌아가던 길이었다. 사거리 횡단보도에서 초록 신호등으로 바뀌기를 기다리고 있는데, 담배 냄새가 코를 자극했다. 옆을 보니, 잘해야 고등학생으로 보이는 남학생이 담배를 피우고 서 있었다. 장길산은 그 담배 피우는 남학생을 보고, "어른들이 청소년의 나쁜 행동을 보고 방관만 하고 혼을 안 내면, 이 사회는 앞으로 바르게 굴러가겠는가?" 하는 정의로운 생각을 하면서, 담배 피우는 남학생에게 다가가 힘주어 말했다. "야! 너 중학생이야, 고등학생이야, 미성년자가 이렇게 공공 대로에서 싸가지없이 담배 피우면 돼!", "얼른 끄지 못해!" 장길산은 그 남학생이 자신의 말에 순순히 따르면서 담배를 끌 것이라고 생각했다. 그러나 현재 장길산은 경찰서 유치장에 갇혀 있는 신세가 되었다. 남학생의 엄마가 장길산이 담배 피우던 남학생의 뺨을 한 대 때린 것을 가지고 112 신고를 하였고, 현장에서 장길산은 체포되었다. 경찰서 유치장에서 장길산은 혼잣말로 중얼거렸다. "담배 피우던 청소년을 훈계하기 위해 혼낸 것이고, 그 과정 중에 내 말을 안 들어 먹기에 뺨 한 대 때린 것 가지고 나를 유치장에 감금시키다니, 대체 이 사회가 어떻게 굴러가고 있는 거야?"

✎ 이치

요즘 청소년 학생이 횡단보도나 길거리에서 담배 피우는 모습은 흔하게 눈에 뜨입니다. 아마 사회 정의감이 넘치는 어른들의 눈에만 잘 보이는 것일 수도 있습니다. 사회 정의니 뭐니 그딴 것은 접어두고 먹고 살기 위해 이리 뛰고 저리 뛰고 하는 사람들 눈에는 청소년이 담배를 피우던, 술을 마시던 그런 비행 모습이 눈에 들어올 리 없겠지요. 비행 청소년을 양산하는 사회는 어른들의 무관심과 방치, 그리고 올바른 교육의 부재가 밑바탕에 깔려 있습니다. 최근 지방의 여중생이 10대 여학생들에 의해 충남 아산의 한 모텔에 감금돼 집단 폭행을 당한 사건이 있었는데, 가해

학생들은 A양의 허벅지에 담뱃불을 지지고 200만 원의 돈을 벌어오라는 조건을 내걸고 풀어주어, 이제 나이 어린 청소년조차 인간 이하의 잔인무도한 행동을 서슴지 않는다는 사실을 여실히 보여준 사건입니다.

이런 사회적 문제를 어떻게 풀어야 비행 청소년들이 없어지는 것일까요? 사회를 먼저 둘러보니, 유해한 것들이 너무 많습니다. 특히 인터넷 보급과 청소년들의 스마트 폰 사용은 유용한 지식과 정보를 쉽게 접할 수 있는 긍정적인 측면이 있는 반면에 야한 동영상이나 폭력적인 장면을 담고 있는 영상물에 쉽게 접근하여, 비행 청소년을 만드는 데 일조하는 측면이 많습니다. 또한 결손 가정, 맞벌이 부모 가정, 외국인 부모를 둔 다문화 가정 등 가정의 유형도 여러 가지 형태로 분류되어 있어 현행 학교의 획일화된 교육 방법으로 이런 유형별 가정의 아이들이 올바르게 교육을 받을 수 있는 환경이 조성되어 있는지, 이에 대한 성찰도 필요합니다.

우리 사회는 어떤 일이 발생하면 그 결과만 놓고 각종 대책 마련을 한다고 부산을 떱니다. 사람들은 담배 피우는 청소년과 여중생 폭행사건을 보면서, 산인무도한 청소년의 폭행에 걸맞게 관련 소년법을 강화하여 엄하게 벌해야 한다고 주장합니다. 그러나 청소년 범죄에 대한 처벌만을 강화하면, 청소년 범죄가 줄어드는 것일까요?

청소년 범죄는 사실 우리 사회를 비추는 거울입니다. 비행 청소년만을 법의 잣대를 가지고 나무라고 엄히 처벌한다는 것은 원인을 찾아 바꾸거나 개선하려는 노력이 없이 반사적 대응에 불과합니다. 사회에 있는 어른들이 올바르게 행동을 하지 않으면서 보고 배운 아이들이 똑같이 행동한다고 하여, 아이들만 처벌한다는 것은 이치에 맞지 않습니다. 결손 가정에서 큰 청소년, 다문화 가정에서 성장하는 아이들, 맞벌이 부모 밑에서 크는 아이들. 각자의 환경과 조건에 맞추어 부모들이 먼저 어떻게 하면 아이들을 올바르게 키워 사회의 일꾼이 될 수 있는지에 대한 교육을 받아야 합니다. 청소년 범죄를 일으킨 아이들만 대상으로 보호관찰과 범죄예방 교육을 하고 처벌하면, 해당 아이들이 계도되었다 하더라도 또 다른 유형의 비행 청소년이 더한층 폭력성을 띠고 나타나는 결과를 초래합니다. 청소년 범죄를 예방하고 선도하는 것에 우선하여, **어른들을 대상으로** 어떻게 하면 우리 아이들을 올바르게 키워 사회에서 각자의 역할을 충분히 할 수 있을지에 대한 교육을 먼저 해야 합니다. 현재 우리 사회 부모 대다수는 아이들이 열심히 공부하여 일류대학에 들어가는 것을 목표로 삼고 있으나,

과연 일류대학에 들어가는 것이 성공의 척도가 되는 것일까요? 우리는 사실 성공의 의미조차 제대로 정립을 못 하고 있습니다. 주위 학부모의 아이들 교육에 발맞추어 뒤처지지 않으려고, 우리는 너나 할 것 없이 우리 아이들을 사설 학원으로 내맡깁니다. 이렇게 하지 않으면, 꼭 부모로서 역할을 제대로 하지 않는다는 생각이 들 테니까요.

미네르바의 부엉이

여기 인생이 황혼에 들어선 한 신부님이 들려주는 '미네르바의 부엉이' 소리가 있습니다.

내가 아직 어리고 자유로웠을 때,
나의 상상력에 끝이 없었을 때, 나는
세상을 변화시키겠다는 꿈을 꾸었었지.

나이가 들고 뭔가를 알아 가면서 나는
세상이 쉽게 변하지 않으리라는 것을 알게 됐지.

그때 나는 시야를 조금 좁혀서
내가 살고 있는 나라를 변화시키려고 마음먹었었어.
하지만 그것 또한 꿈쩍도 하지 않더라구.

황혼기에 접어든 지금, 이제는 마지막으로
절박한 기분으로, 나와 가장 가까운 사람들,
그리고 내 가족들을 변화시킬 방법을 찾았지. 그런데,

이럴 수가! 그것도 되지 않는 거야

이제 죽어가는 침대에 누운 나는

깨달았어. 만일,

나 자신을 먼저 변화시켰더라면. 그러면,

내 가족이 영향을 받았을 것이고, 그러면,

가족의 응원과 지지를 받으며 나라를 변화시킬 수 있었을 테고,

누가 아는가? 세상을 변화시킬 수 있었을지도.

9.
「잘해준 만큼 서운한 감정」으로
풀어본 비밀의 문

✎ 상황

길주는 OO구청 공원녹지과 공무원이다. 길주는 성격이 다정다감하고 섬세하지만, 말이 많은 편이다. 집안 부모님은 길주의 성격이 착하지만 쓸데없는 말을 상대방에게 너무 쏟아붓는 것에 걱정을 많이 하여, 진중하게 사회생활을 하라는 충고를 입에 침이 마르게 했다. 그러나 길주는 그게 본인의 매력이라고 생각했는지 고칠 생각은 안 하고 구청 직원들과 실없는 농담을 쉴 새 없이 해댔다.

다른 지역 구청으로 인사이동이 있는 후, 길주는 낯선 환경에 아는 직원도 없고, 서로 대화가 없다 보니 외로움이 자주 찾아 왔다. 길주는 자신의 특유의 실없는 농담을 무기로 잘 모르는 직원들에게 접근하여 쉴 새 없이 실없는 농담을 하기 바빴고, 본인이 주재하는 회식 모임을 자주 가졌다. 물론 회식비는 길주가 전부 부담했다.

어느 날 길주는 구청 복도에서 선배 형진을 보고 반가워서 다가서는데, 선배 형진은 길주를 보자마자 손사래를 하며 "저리 가, 저리 가, 이 새끼야." 라고 말을 했다. 너무 어안이 벙벙해서 길주는 사무실 자기 자리에 돌아와서 내부 통신으로 선배 형진에게 "왜 보자마자 욕을 하느냐?"고 물어봤더니, 형진은 짧은 문장 두 줄로 답신했다.

"죄송합니다. 수고하세요." 그 글을 마지막으로 길주는 영문도 모른 채 선배 형진과 같은 공간에서 근무하지만 투명인간처럼 서로를 대하면서 생활하는 중이다. 그러나 이런 투명인간처럼 지내야 할 인간들이 길주 앞에 **계속** 나타나기 시작했다. 여직원 미선은 복도에서 마주쳐도 다른 곳을 응시하면서 인사도 없이 지나가고, 또 다른 직원 주희는 길주가 아무 여자한테 집적거린다고 청문감사실에 투서를 했다.

길주는 갑자기 혼란스러워지면서, 직장에서 사람 대하기가 무서워졌다.

"나름 잘해준다고 잘해주었는데, 왜 선배 형진이 내게 갑자기 욕을 하고, 서로 친하게 지내던 미선, 주희가 나를 보고 인사도 없이 무시하면서 지나가고, 집적거린다는 투서까지 하는 거지?"

✎ 이치

길주의 현재 직장에서 처한 어려운 상황은 **길주로부터 비롯된** 것입니다. 선배 형진이 길주를 보자마자 욕을 하고, 여직원 미선, 주희의 돌변한 태도 이런 반응에 괴로워하는 당사자는 바로 길주이기 때문에 길주는 왜 이런 상황에 처하게 되었는지 반드시 공부해야 앞으로 괴로운 감정이 소멸됩니다. 즉 원인을 분명히 알고 잘못된 점을 고치는 노력을 해야 앞으로 다시는 이런 상황이 만들어지지 않고, 올바른 사회생활을 할 수 있습니다.

길주는 타고난 성격이 다정다감하고 섬세하며 말이 많은 편인데, 이런 성격 유형은 타인에게 쉽게 다가서고 정을 주어 본인의 밑천을 다 드러내면서 수다스럽게 잡담을 하기 때문에 상대의 태도 변화에 따라 감정이 춤을 추게 됩니다. 또한, 상대방과 대화에서 주도적으로 말을 하기 때문에 자신이 어떤 생각을 하고 있는지 속마음을 대화를 통해 쉽사리 드러내기 일쑤입니다. 그래서 상대방은 길주의 속마음이 어떠한지 미리 예견하고 처신하기 때문에, 길주는 상대방 입장에서 '호구'입니다. 더구나 세상에 더할 나위 없이 착하다고 하니, 상대방이 이용할라치면 얼마든지 사기 칠 수 있는 호구 중에 상호구입니다.

길주는 자신을 길러준 부모님 말씀처럼 상대를 알기 전까지 진중하게 상대의 말을 잘 들어야 합니다. 상대의 의견을 잘 듣는 법은 상대의 말을 자신의 시각으로 재단하고 판단하지 않고, 액면 그대로 흡수하는 것입니다. 상대방의 말에 그냥 맞장구 정도 쳐 주는 거죠. "아, 그래요.", "아하!" 뭐 이런 식으로 상대의 말이 계속 이어질 수 있도록 맞장구쳐 주는 것입니다. 특히 처음 만난 상대방일수록 그 상대방을 전혀 모른 상태이기 때문에 자신의 말을 하기보다는 대화의 주도권을 상대방이 가지도록 해야 합니다. 대화의 주도권을 상대방이 가지도록 하려면, 나 자신을 낮추어 의견을 구하는 방식으로 접근해야 합니다. 나 자신을 높이거나, 함부로 내 생각을 입 밖으로 꺼내면서 바른말을 하는 것은, 상대방의 말을 막거나 하지 못하게 되는 꼴이 됩니다.

대화를 누구하고 하느냐에 따라 대화법 역시 달라지는데, 아랫사람하고 대화를 할 때는 윗사람으로서 **아랫사람을 이끌어주고 필요한 말만을** 시기적절하게 해야 합니다. 윗사람이 아랫사람과 농담이나 실없는 말들을 주고받으면 그만큼 같은 사람으로 평가되어 아랫사람이 존경할 리도 없거니와 윗사람을 무시하기 쉽습니다. 또한, 보살피고 이끌어주는 정도 역시 넘치지 않게 적절한 선을 지켜야 합니다. 뭐든지 "지나침은 못 미침과 같다."는 고사성어와 같이 부하 직원이나 후배에게 너무 잘해주면, 나중에 그 친절함의 정도가 약해지거나 부족하면 부하 직원이나 후배는 태도를 돌변하게 되어 자신의 위신이 그만큼 땅에 떨어지게 됩니다. 길주 역시 낯선 환경에서 만난 여직원 미선과 주희에게 과도하게 정을 나누어 주면서 잦은 회식을 하였지만, 어떤 사건으로 인해 조금만 길주가 대하는 것을 등한시하거나 연락을 뜸하게 하면 바로 미선과 주희는 길주에게 쌀쌀맞은 태도를 보이는 것은 당연한 결과입니다. 왜냐하면, 길주가 잘 대해 주는 것을 계속하지 않으면 상대는 서운하고 섭섭한 감정이 금방 올라오기 때문입니다.

이와 달리 상사와의 대화법은 하나라도 **상사에게 배운다는 자세로** 접근해야 합니다. 내가 아무리 똑똑하고 정답을 알고 있다손 치더라도 절대 상사를 설득하려 들지 말고, 내 의견을 제시만 하기 바랍니다. 상사가 제시한 내 의견을 받아주면 좋겠지만, 내 의견이 묵살 당해도 반론을 펴면서 논쟁을 벌이는 것은 금물입니다. 왜냐하면 윗사람은 내가 보지 못한 부분, 즉 보는 크기나 깊이가 다르기 때문에 배운다는 자세로 접근해야 합니다.

길주는 직장 선배 형진의 갑작스런 욕지거리에 대해 항의를 하나, 사실 길주는 형진의 욕지거리를 나를 일깨워주는 종소리처럼 들어야 합니다. 직장 내에서 길주의 실없는 농담이 길주 스스로 가치를 떨어뜨리는 중이라는 것을 선배 형진의 입을 통해 전달해 준 것이니까요. 길주의 부모님조차 침이 마르게 진중하게 말을 하라고 잔소리를 했으나 들은 척도 않은 길주에게 형진이 좋은 말로 이야기한들 길주가 들어 먹을 리가 없기에, 형진의 입을 통해 욕지거리를 함으로써, 정신 차리게 해 준 것입니다. 전체 상황이 이러할 진데, 길주가 형진에게 서운한 감정을 가지기보다 오히려 감사의 마음을 가져야겠죠. 좀 더 나아가 지금 상황은 길주와 형진의 관계가 서로 등을 돌린 상태이지만, 길주가 형진에게 계속 서운한 마음으로 그리고 도를 지나쳐 분노의 마음으로까지 진행되어 있다면 길주는 영원히 형진과 관계가 악연으로 유지할 것이고, 만약 길주가 형진에게 나를 깨우쳐 주어 너무 감사하다는 마음으로 형진을 대한다면 현재의 악연이 풀어져 다시 관계가 원상태로 복귀할 것임은 분명합니다. 길주는 나에게 오는 사람들에 대해 단 한 명도 무시할 권리, 비난할 권리, 욕할 권리가 없다는 것을 알아야 합니다. 길주에게 주어진 자연의 권리는 길주 앞에 다가오는 인연을 모두 다 소중히 여겨 그 인연으로부터 배울 점이 하나라도 있는지, 그리고 그 인연을 통해 내가 갖추어야 할 점이 무엇인지에 대해 진지한 성찰이 있을 뿐입니다.

내게 다가오는 사람을 잘 대해 주고 친절하게 하는 것이 사회 생활을 원만히 잘하는 것이라고 우리는 일반적으로 알고 있지만,

사실 상대방을 잘 대해 줄수록 정이 쌓여 그 정으로 인해 내가 조금이라도 소홀히 하면 서운한 감정, 섭섭한 감정, 그리고 지나치면 분노의 감정까지 올라옵니다. 그렇게 사랑하고 잘해주었던 애인이 내게 복수의 칼을 들이대는 이유가 다 그런 원리 때문입니다. 길주가 선배 형진의 욕지거리를 듣고도 인연법의 소중함을 깨닫지 못하자, 신은 또 한 번 길주에게 친하게 지내던 미선, 주희의 갑작스레 돌변한 태도를 보여줍니다. 길주를 향한 미선과 주희의 쌀쌀한 태도는 길주가 그동안 미선과 주희에게 심어 주었던 지나치게 잘 대해 준 대가를 돌려받은 것이고, 이 역시 길주로 하여금 다시는 그렇게 상대방에게 자신의 모든 것, 경비나 에너지를 투입하지 말라는 경고입니다.

여기서 상대방은 남뿐만 아니라 자신의 가족까지 포함됩니다. 예를 들어 돈이 엄청 많은 재력가가 외동아들에게 지나친 사랑을 주어, 그 사랑으로 말미암아 외동아들이 의지박약과 나태함, 그리고 안하무인하게 함으로써, 사회에 도움이 안 되는 사람으로 키웠을 때의 대가는 재력가인 아버지가 돌려받게 될 것입니다. 제가 테마로 엮은 「치과의사인 아버지를 때린 아들로 풀어본 비밀의 문」 글과 같이 아버지를 때린 아들의 포악한 심성만 나무랄 것이 아니라, 포악한 심성을 갖추게끔 만든 장본인인 아버지를 신은 아들을 통해 처벌하고 있는 것입니다. 명심하세요. 상대방이 누구이든지 간에, 심지어 그 상대방이 우리 부모, 우리 자식, 우리 형제·자매 일지라도 지나친 사랑과 정은 상대방을 현혹하고, 사랑과 정에 이끌려 올바른 길로 갈 수 없도록 만든다는 사실을 꼭 기억하시기 바랍니다.

10.
「나이 많은 후배, 어린 선배」로
풀어본 비밀의 문

✏️ 상황

2017. 9. 1. 서울신문 기사 내용이다.

<u>**"나이 많은 후배 대하기 참 껄끄러워요."**</u>

"나이 어린 선배는 어떻고요."

한 외국계 기업의 5년 차 사원 김모 씨(28·여)는 자신보다 4살 많은 신입사원이 들어오면서 난처한 상황에 처했다. 김 씨의 상사와 신입사원이 '대학 동기'였던 것이다. 셋이 같이 있을 때면 신입사원은 김 씨를 존대하고, 김 씨는 상사에게 말을 높이는데, 신입과 상사는 반말로 대화한다. 이렇게 애매한 분위기에 김 씨는 "두 사람이 있는 자리는 일부러라도 피하게 됐다."고 말했다.

공기업 사원 강모 씨(31)는 입사 3년 차 만에 처음 후배를 맞았다. 후배 사원이 낯이 익다 했더니, 대학 선배였다. 이 때문에 강 씨는 회식 때만 되면 하던 고기 굽기, 반찬 채우기, 술 따르기를 지금도 계속하고 있다.

  늦깎이 신입사원들도 어려움이 적지 않다. 중견 기업에 다니는 이모 씨(35)는 대학에서 한 학번 아래였던 여성 후배와 입사 후 조우했다. 후배는 이 씨보다 회사에선 두 기수 선배였다. 평소 "오빠."라고 부르던 후배를 선배로 대하기가 쉽지 않았다. 결국, 두 사람은 서먹서먹한 사이가 될 수밖에 없었다. 광고회사에 다니는 이모 씨(32·여)는 회사 '호랑이 상사'가 자신과 동갑이라는 사실에 적지 않은 불쾌감을 느낀다고 한다. 이 씨는 마치 어린 후배 대하듯 "너 혼난다."라는 동갑 상사의 말에 큰 상처를 받기도 했다.

  각종 일터에서, 흔히 말하는 '족보가 꼬이는' 현상이 갈수록 많아진다. 유교의 장유유서(長幼有序)가 통념처럼 자리 잡은 한국사회에서 나이와 입사기수의 혼란은 직장 내 새로운 갈등 요소로 떠오를 것이란 전망도 나온다.

  － 이하 중략 －

✎ 이치

예전에는 회사에 취업하면 그곳이 내 뼈를 묻을 곳이라고 생각을 하고 자신의 모든 것을 회사에 희생하면서 업무에 매진하던 때가 있었습니다. 그때는 직장 상사와 부하 직원 간의 관계, 선·후배 관계 모두 연공서열 방식으로 편성이 되어 조직이 굴러가던 때였습니다. 또한, 신규직원 입사원서에 연령을 제한해 두어 나이 많은 사람은 애초에 자기가 다니고 싶은 회사에 지원할 길을 막아 놓았던 때였습니다. 그러나 지금은 연공서열도 파괴되고, 입사 연령 역시 제한이 없다 보니 나이 많은 후배가 나이 어린 선배와 한 부서 안에서 공존하면서 생활해야 하는 시대가 왔습니다. 나이 어린 선배와 나이 많은 후배와의 관계는 어떻게 정립해야 올바른 사회생활을 하는 것일까요? 우리나라 사회는 유독 나이에 민감합니다. 나이는 하늘이 준 것이니, 나이대접을 해 달라는 것은 조직의 운영에 전혀 도움이 되지 않습니다. 조직이 나이 많은 순서로 재배열되어 운영된다는 것은 이치에 맞지도 않을뿐더러 조직의 발전에 역행하기 때문입니다. 조직은 나이가 아닌 실력으로 이루어집니다. 실력이 있는 사람은 나이가 많고 적음에 관계없이 어느 조직에서나 우대받고 능력을 인정받습니다. 부하직원이나 후배에게 존경을 받으려면, 먼저 자신의 실력을 키워야 합니다. 실력이 있으면, 부하직원과 후배는 나이의 많고 적음에 관계없이 상사로, 선배로 존경하고 대접을 합니다. 그러나 실력이 없으면, 아무리 나이가 많더라도 부하직원이나 후배에게 무시당하고 선배 대접을 받을 수 없습니다.

대학에서 한참 후배인 사람을 직장에서 선배로 모시고 생활해야 할 경우, 우리는 과거의 인연과 나이에 연연해서, 현재의 내 위치를 착각하고 자존심을 내세우기 쉽습니다. 그러나 냉철히 생각해 보면, 과거 대학 후배는 현재의 회사에 먼저 입사할 능력과 조건이 되었기에 회사 선배로 있는 것인데, 회사에 늦게 들어온 나이 많은 후배가 그 부분을 인정하지 못하고 자신이 처한 환경과 조직 사회에 불평·불만을 한다면, 나이 많은 후배는 영원히 회사에서 성공할 수 없습니다. 쉬운 말로 '왕따'를 당하고, 그 조직에서 퇴출당합니다.

주변 직장인들을 대상으로 '나이 많은 후배, 어린 선배'라는 주제로 회사 내에서 어떻게 처신해야 할지 물어보았습니다. 답변으로 '회사 내 같은 부서에서 근무할 때는 서로 호칭을 생략하고, 연결된 업무일 때에만 선배님이라는 호칭을 하며, 회사 밖에서는 나이 순서로 형, 동생, 오빠, 누나 호칭으로 관계를 맺는다.'고 말을 합니다. 즉 회사 선·후배, 상사·부하직원 간 관계는 회사 밖에선 인정하지 않고 다른 관습과 나이 순서로 재편성한다는 말입니다. 사회가 개인주의로 변화하면서 회사가 어떤 이유로 존재하는지, 그리고 사회는 어떻게 발전해야 한 단계 위로 점프하는지에 대한 고찰이 없기에 '관계의 편리함과 무관심'이라는 논리로 풀어진 것이죠. 사회는 현재 상황에 맞게 변화하고 있고, 그 변화는 그 전 사회보다 바람직한 방향으로 흘러가야 하는데, 오히려 변화된 상황에 맞춘 새로운 관계 설정이 없다 보니 자기 편리대로 세상에 잣대를 들이대는 꼴이 되어 버린 것입니다.

그러나 과연 이런 관계 설정이 바람직한 설정인지 짚고 넘어가야 합니다. 회사 안에서 상하 관계가 회사 밖에서 뒤집혀 관계가 설정된다면 사회는 혼란스러워집니다. 왜냐하면, 사회는 두 사람만 사는 곳이 아니기 때문입니다. 얽히고설키는 인연들을 두 사람만의 관계로 푼다는 것은 있을 수도 없는 일이고, 오히려 더 꼬이는 결과를 낳습니다. 현재가 가장 중요합니다. 현재 우리가 처한 환경에서 직장 상사(선배)와 부하직원(후배)으로 만났다면, 다른 회사로 이직하지 않는 한 회사 밖에서도 상사(선배)와 부하직원(후배) 관계입니다. 나이는 사회에서 전혀 중요하지 않습니다. 사회에서 꼭 배워야 할 것들이 내게 오는 상사나 선배를 통해 배워야 할 위치에 놓여 있다면, 불평·불만하지 말고 그 상황을 받아들이기 바랍니다. 그리고 그 위치에서 실력을 키우기 위해 노력하기 바랍니다. 어느 지점에 이르면, 그 관계 설정을 다시 하는 때가 반드시 오기 마련입니다.

직장 상사(선배)는 부하 직원(후배)에게 업무를 가르칠 때 부하 직원이 100% 이해되게끔 알려 주어야 합니다. 이해가 되지 않게 업무를 알려주어 놓고 제대로 일을 하지 못한 것을 탓하는 것은 이치에 맞지 않습니다. 반대로 직장 상사는 부하 직원의 업무 보고가 미흡하더라도 그 미흡의 정도가 30% 이내라면, 열심히 했다고 말해야 합니다. 그 이유는 직장 상사와 부하 직원의 업무 능력을 같은 선에서 바라보면 안 되기 때문이고, 부하 직원이 아래 사람인 이유는 직장 상사의 업무 스케일과 깊이 등이 부하 직원과 비교해 보았을 때 월등히 낫기 때문에 부하 직원의 업무 보고가 마음에 안 들더라도, 부하직원이 70% 업무 성과를 이루어 냈다면 열심히 한 부분만큼은 인정해 주어야 한다는 뜻입니다.

부하 직원 또는 직장 후배는 회사에 나와 단순히 돈을 벌 목적으로 일한다는 자세로 일을 하면, 나이 어린 선배(상사)와 관계를 맺어 어떤 일을 함에 있어, 자주 부딪히는 결과를 낳습니다. 아무래도 나이 많음을 염두에 두고 있는 부하 직원이라면 자존심 때문에 나이 어린 선배나 상사에게 업무를 배울 기회를 스스로 멀리하고 회피하게 될 것이니까요. 이와 달리 회사를 사회공부 배우러 나왔다는 생각을 가진다면, 나이 어린 상사나 선배를 만나더라도 배우는 자세로 임하기 때문에 알량한 자존심 때문에 부딪힐 경우가 없습니다. 즉 회사 내 바람직한 관계 설정과 업무 성취도는 우리가 단순히 돈을 벌 목적으로 회사에 일을 하러 나온 것이냐, 아니면 회사라는 학교를 통해 나에게 부족한 뭔가를 하나라도 습득하여 실력을 갖출 목적으로 출근했느냐에 따라 그 결과는 완전히 달라진다는 것이며, 그 배우는 과정 중에 만나는 사람이 나이 어린 상사 또는 선배와 관계없이 모두 다 우리에게 소중한 인연이라는 것으로 귀결이 된다는 것입니다. 그러니 자존심을 내세울 일이 자연스럽게 사라지는 것이죠.

11.
「층간소음이 빚어낸 폭행사건」으로 풀어본
비밀의 문

📎 상황

11층에 사는 영호는 요새 부쩍 아래층에 사는 사람들 때문에 스트레스가 이만저만 아니다. 6살 아들이 거실에서 좀 뛰어놀았다고 저녁 8시경 인터폰으로 경비 아저씨가 "아래층 사람이 층간소음으로 신고가 들어왔다."면서 주의를 요구했기 때문이다. 이미 거실 바닥엔 매트를 깔아놓았고, 아이에게 수십 차례 뛰어다니지 말라고 주의를 주었지만, 어린아이라서 그런지 뒤돌아서면 또 잊어버리고 거실을 뛰어다니곤 했다.

그 날은 아들 생일이라서 밖에서 외식을 하고 저녁 늦게 집에 들어왔다. 한 20분이나 지났을까? 초인종을 누군가 막 눌러 댔다. 현관문을 사이에 두고 "누구세요."라고 물어보니까, 아래층 사는 젊은 사람이 서 있었다. 문을 열고, 무슨 일인지 물어보니까, "위층에서 어떻게 놀기에 1시간이 넘게 쿵쿵 소리가 나느냐?"는 항의를 했다. 순간 영호는 "우리가 들어온 지 이제 20분이 채

안 되는데, 무슨 1시간째 쿵쿵거렸다는 거냐?"면서 따지기 시작했고, 그전부터 쌓여있던 감정들이 한꺼번에 막 쏟아져 나왔다. 그날 저녁 아래층 젊은 사람과 영호는 멱살잡이를 하면서, 격하고 상스러운 소리로 동네가 떠나갈 듯이 싸웠다.

경찰관이 오고 나서야 진정이 되었고, 양쪽 모두 경찰서에 가서 폭행 혐의로 조사를 받았다. 조사받은 과정 중에, 영호는 아래층이 할머니와 구청 청소부로 근무하는 아들, 단둘이 살며 그들의 취침시간은 저녁 8시 반이라는 사실을 알았다.

영호는 경찰서를 나오면서 혼자 중얼거렸다. "위층, 아래층 생활 패턴이 서로 다른데 어떻게 같은 공간에서 공존하면서 살아가겠어, 저녁 8시 반이면 초저녁인데도 말이야, 아이가 로봇도 아니고, 내 참 기막혀서!"

✍ 이치

우리나라는 아파트가 참 많은 것 같습니다. 국토가 좁다 보니 자연스럽게 위로 높이 겹겹이 집을 올리는 것 이외 다른 방법이 없는 거죠. 상황이 이러다 보니, 위층과 아래층 세대 간에 층간소음 문제로 인해 생기는 사소한 감정 다툼이 빈번히 발생하는 상황입니다.

　이런 사회적 문제점을 어떻게 해소하는 것이 지혜롭게 대처하는 것인지에 대해, 먼저 「거울의 법칙」을 적용해 보면 우리가 거울을 본다고 할 때, 우리는 사실 우리 자신의 모습을 바라보는 것이지, 거울을 바라보고 있는 것이 아닙니다. 세상은 어찌 보면 우리 생각의 범위를 훨씬 뛰어넘는 거대한 거울입니다. 우리는 세상이라는 거울을 통해 반사되는 우리 자신을 바라보는 거죠. 누군가 우리를 화나게 하는 상황을 연출하고, 우리는 그 대상에 화를 내고 소리를 지른다면, 우리는 화를 내고 소리를 지르는 나 자신을 세상이라는 거울을 통해 다시 반사하여 바라보게 됩니다. 이렇게 되면 뫼비우스의 띠처럼 계속 꼬리에 꼬리를 물면서 불쾌하고 성난 상황에서 벗어날 길이 없습니다. 이 연결고리를 끊으려면 어떻게 해야 할까요? **거울을 보고 있는 원본 대상인 우리 감정과 태도를 바꾸어야 합니다.** 세상이라는 거울을 놓고 바라보는 원본 대상이 나 자신이라면, 찡그리고 화난 얼굴로 거울을 비라보지 말고 미소를 지으며 환하게 웃어 보세요. 세상이라는 거울은 환한 미소를 짓고 있는 당신을 향해, 현실에서 당신이 미소를 지을 수 있게끔 환경을 만들어 줍니다. 거울을 통해 미소를 짓는 당신의 모습은 서서히 현실에서 미소 지을 수 있는 환경으로 바꾸게 되고, 이 환경 속에 있는 상대방 역시 미소 지을 수 있도록 정확히 환경을 맞추어 줍니다. 세상이라는 거울을 통해 형성된 웃는 상대방을 보면서 당신 역시 웃는 모습으로 대화할 것이고, 다시 그 대화하는 웃는 모습이 거울을 통해 반사되어 상대방 역시 웃는 모습으로…. 이런 선순환으로 돌아갑니다. 즉 "주는 대로, 되돌려받는다."는 말과 같은 원리인 거죠.

아파트 층간소음으로 생기는 모든 문제는 이웃 간에 마음의 담장을 쌓고 소통을 하지 않음으로써 발생하는 것입니다. 이웃에 누가 사는지, 그리고 무슨 일을 하는 사람인지 등 기본적인 대화조차도 안 한 상태에서 발생한 현상에 감정을 싣다 보니 불쾌한 상황이 초래되고, 그 상황이 다시 이웃 간의 단절을 초래하고 폭행으로까지 이어지게 되는 것입니다. 형편이 된다면 그 상황을 모면하기 위해 다른 곳으로 이사를 고려할 수도 있겠지만, 이사를 간들 그런 상황을 벗어날 수는 없습니다. 똑같은 상황이 아닐지라도 비슷한 유형의 상황들이 당신 앞에 또 나타납니다. 즉 상황은 어디에나 존재하나, 그 상황을 우리가 어떻게 받아들이느냐에 따라 그 상황이 즐거운 상황으로 바뀔 수도 있고, 고통스럽고 힘든 상황으로 계속 이어질 수 있다는 말입니다. 여기서 주의할 점은 현실에서 집안에 걸려 있는 거울은 비춰지는 원본 대상이 움직이면 곧바로 그림자처럼 따라 움직이지만, 세상이라는 큰 거울은 곧바로 반응하지 않고 원본 대상의 감정 상태가 현실화하는 데까지 버퍼링(Buffering), 시간 간격이 필요합니다. 집안에 걸려 있는 거울과 세상이라는 거울, 두 거울 간에 유일한 차이가 있다면, 바로 이 버퍼링 시간 간격입니다.

「주파수 이론」으로 설명해도 답은 같습니다. 라디오 FM 108MHz 주파수는 AM 600KHz를 수신할 수 없습니다. 그건 주파수 대역이 서로 다르기 때문이죠. 동일하게 사람이 내뿜는 에너지로 말, 감정, 글, 행동이 있을 것이고 좋은 말, 좋은 감정, 좋은 글, 좋은 행동을 내뿜는 사람은 당연히 같은 유형의 말, 감정, 글, 행동을 교신하게 될 것입니다. 주위에서 "오는 말이 고와야 가는 말이 곱다."는 말의 뜻은 같은 주파수를 가진 사람만이 서로 교신한다는 것입니다.

상대를 비난하고 탓하는 행위는 그 순간에는 마음이 시원하고 속이 확 풀리는 느낌이 잠깐 있을 수 있지만, 결국 자신을 더 어렵게 만듭니다. 상대를 비난하고 탓하는 행위는 부메랑이 되어 거울을 바라보고 있는 자신을 향해 다시 돌아오기 때문입니다. 외부에서 발생하는 불쾌한 상황에 곧바로 똑같이 불쾌하게 반응하는 것은 그만큼 감정을 일으키는 경로가 단순하다는 방증입니다. 자신에 대한 공부를 많이 한 사람일수록 불쾌하고 짜증 난 자극에 대한 처신 방법을 다양하게 가지고 있어, 상황에 맞게끔 감정의 종류를 잘 선택합니다. 위층과 아래층 간 층간소음은 같은 공간에서 존재하는 한, 서로 일정 부분 양보해야 함께 살 수 있는 것이고, 서로 양보를 위한 첫걸음은 상대의 라이프 스타일이 어떠한지를 파악하는 것부터가 우선되어야 할 것입니다. 그것이 바로 상대방에 대한 이해이고 배려일 것이고, 양보는 그 토양 위에서 나오는 단어입니다.

[거울의 법칙]

- 나는 '세상거울'을 바라봅니다. [자동적인 반응]

세상거울이 화난 표정을 보여준다면, 나 역시 화난 표정을 짓습니다. 만약 세상거울이 웃는 표정을 보여준다면, 나 역시 웃는 표정을 짓습니다. 즉, 나는 거울에 비친 상의 반응에 따라 '덩달아' 놀고 있습니다. 나는 거울에 비친 상의 모습을 화난 표정 또는 웃는 표정으로 선택할 권리가 전혀 없습니다. 뫼비우스의 띠처럼 세상거울의 표정 변화에 따라 내 표정 변화 역시 따라 움직일 뿐입니다.

- 이와 반대로, 나는 '세상거울'에 나의 감정 상태를 보여줍니다.

[의식적 발산]

내가 웃는 감정을 세상거울에 보여준다면, 세상거울은 나의 웃는 모습을 바라봅니다. 만약 내가 화난 감정을 세상거울에 보여준다면, 세상거울은 나의 화난 모습을 바라봅니다. 즉, 세상거울은 나의 감정변화에 따라 움직여질 뿐입니다. 나는 세상거울의 표정 변화를 내 마음대로 선택할 수가 있습니다.

- 이처럼 세상거울을 바라보면서 우리의 감정이 저절로 움직여지는 것이 아니라, 우리 스스로 기쁜 감정, 웃는 감정, 즐거운 감정을 선별한 후에 세상거울에 보여준다면, 세상거울은 기쁜 모습, 웃는 모습, 즐거운 모습으로 저절로 변합니다. [밝은 지구로 수렴]

밝게 웃는 내 모습이 서서히 지구를 밝게 만든다.

옛날에 할아버지가 손자에게 말하기를

"인간의 내면에는 어두운 늑대와 밝은 늑대가 있다.

어두운 늑대는 분노, 질투, 슬픔, 자기연민, 의심, 거짓말,

열등감, 이기적인 자아로 가득 찬 악한 존재다."

"반면 밝은 늑대는 사랑, 기쁨, 희망, 안전, 이타심, 평화,

희망, 겸손, 친절, 진실, 공감, 배려로 가득 차 있단다."

손자가 할아버지에게 묻기를

"할아버지, 둘 중 어느 쪽이 이겨요?"

할아버지가 말하기를

.

.

.

.

.

.

"네가 먹이를 주는 늑대가 이긴단다."

12.
「불평·불만에 지친 그대, 떠나라」로 풀어본 비밀의 문

◈ 상황

꿈을 꾸었다. 잠에서 깬 석은 지금 현실이 꿈으로만 느껴졌다. 10년 후에 보란 듯이 부자가 되어 그간 연락을 끊고 지내왔던 친구들, 친척들, 은사님들, 사회에서 만났던 사람들 앞에 나타나고 싶었는데, 꿈속의 석은 여전히 거지였다. 10년 동안 부자가 되기 위해 읽어온 책만 수백 권이 넘을 것이고, 재테크를 배운답시고 경매학원, 주식 투자연구소에 쏟아부은 돈만 2천만 원은 족히 될 듯싶었다. 현실의 석은 답답하고 뭔가 안에서 꽉 막힌 느낌, 그리고 풀리지 않는 수수께끼를 마음속에 품고 고개를 갸우뚱했다. "그 많은 돈과 관련된 지식이 머릿속에서 다 어디로 사라져 버렸기에, 이토록 힘든 상황에서 벗어나지 못한단 말인가!"

석은 최근 겪었던 일이 떠올랐다. 석은 2년 전 주식을 제대로 배우고 싶은 마음에, 용기를 내어 주식 투자자들 사이에서 나름 인지도가 있는 OO주식 투자연구소 문을 두드렸고, 그곳 소장은 석이 주식을 배울 수 있도록 사무실 자리를 하나 내주는 조건으로, 석이 강의실을 매일 청소하고, 온라인 카페 관리, 회원 관리 업무를 맡도록 했다.

처음 6개월은 연구소에서 근무하던 직원이 누구이든지 간에 주식을 배운다는 생각으로 나이가 어려도 고개를 숙이고 무엇이든 감사하게 받아들였다. 6개월이 지나 주식이 어떤 것인지 윤곽이 잡히고 나서, 석은 갑자기 회의감이 들었다. 연구소 청소부터 회원 관리까지 밤늦게까지 일을 하는데도 소장은 월급 없이 일만 시키고 그다지 많은 지식을 전수해 주는 것 같지도 않아, 석은 주위 직원들과 이야기할 때마다 불평·불만을 했다. 그날은 연구소 월간 기업설명회가 있던 날이었고, 설명회가 끝난 후 책상 정리 등 뒷정리를 하고 있던 참에, 소장이 들어와서 석에게 "올해 연구소에서 가장 일을 열심히 한 직원 홍길동과 제일 참여도가 큰 회원 이순신에게 다음 월간 기업설명회 때 상패를 수여할까 하는데, 어떻게 생각해?" 라고 물었다. 홍길동은 석보다 연구소에 1년 전에 들어온 친구인데, 나이는 석보다 3살이 어리지만 매주 기업리포트를 작성하여 카페에 게시하는 주식 투자 고수였다. 석은 나이도 어린 홍길동이 실력을 앞세워 자신을 무시하는 듯한 조언들, 연구소 강의실 청소부터 회원 관리까지 모든 일을 석이 하는

데 소장은 홍길동에게 상패를 수여하겠다는 말에 기분이 팍 상했다. 거기에 기름을 부은 일이 있었는데, 석이 참 괜찮은 친구로 여겨온 회계사 민유식이 석의 홍길동에 대한 갖은 비난에도 불구하고 석보다 홍길동과 더 친하게 지내는 모습을 볼 때마다, 석은 홍길동이 더한층 미워졌다.

어느 눈 쌓인 겨울날 석은 주위 직원들에게 아무런 말도 하지 않은 채, 연구소 책상에서 자신의 짐을 정리하여 집으로 돌아왔다. 그 후 소장은 석에게 여러 번 전화 연락을 하였으나 석은 전화를 받지 않았고, 석은 그 연구소에서 주식을 배운 건지, 사람에 대한 실망만 잔뜩 하고 온 건지 1년 반이라는 세월이 그저 아깝다는 생각이 들었다.

◈ 이치

성공의 본질은 우리가 무엇을 할 것인지 결정하는 것이 아니라 **무엇을 하지 않을지, 무엇을 포기할지를** 명확히 결정하는 것이 더욱더 중요합니다. 인간은 어떤 환경에 처하면 습관적으로 불평·불만과 비난을 주위 사람들에게 쏟아냅니다. 주위 사람들에게 불평·불만과 비난을 하면 내 마음이 한결 편안해지고 아군을 얻는 기분이 들기 때문에, 사람들은 습관적으로 불평·불만과 비난을 합니다.

불평·불만과 남을 비난하는 것은 인간이 고쳐야 할 가장 못된 버릇입니다. 특히 습관적으로 불평·불만하고, 남을 비난하는 사람은 부메랑이 되어 안 좋은 에너지들이 차곡차곡 쌓여 나를 더욱 힘들게 하고 어려운 상황으로 몰아갑니다. 더 어려운 상황, 힘든 상황이 오면 사람은 더한층 불평·불만하고 남을 비난하는 일을 서슴지 않습니다. 그리고 다시 이 힘들고 어려운 상황이 부메랑이 되어 나를 더욱더 힘들게 하고 어려운 상황으로 내몰아 갑니다. 이건 빠져나갈 문이 전혀 없습니다. 뫼비우스 띠처럼 계속 돌아가는 거니까요.

불평·불만과 남을 비난하는 버릇과 습관은 반드시 없애야 합니다. 현재 상황이 불평·불만으로 가득 차보이더라도, 나 자신이 **그 현재 상황에 어떻게 접근하고 만지느냐에 따라** 결과는 달라집니다. 석이 주식 투자를 배우기 위해 처음 연구소 문을 두드렸을 때 석의 마음가짐은 연구소에서 주식에 관련된 지식을 최대한 많이 알기 위해 나이가 어린 직원에게도 머리를 숙이며 겸손하게 배우려고 했습니다. 나이가 어려도, 주식 투자를 함에 있어 실력자라면 나이가 많고 적음에 관계없이 그 사람이 갑의 위치에 있습니다. 을 입장인 초보자 석은 자존심을 버리고 주식을 배우기 위해 머리를 숙이는 것이 당연합니다. 그런데 그런 석의 겸손한 마음이 시간이 지나감에 따라 왜 변해 버린 것일까요? 그건 석이 상대방을 더 이상 존중하지 않고, 연구소에 대한 불평·불만과 홍길동에 대한 비난으로 마음이 가득 차 있기에, 주식을 배우고자 하는 초심이 가려져 버린 것입니다. 더구나 석은 연구소 강의실 청소부터 회원 관리까지 모든 일을 도맡아 한다는 교만함까지 있으니 상대방을 존중할 수 없고, 겸손한 마음까지 생기지 않으니 이제 석의 당초 주식을 배우고자 하는 열정은 눈 녹듯 사그라져 버립니다.

- 어떤 환경이 우리한테 오더라도 절대 불평·불만하지 마라. 그런 환경이 오는 데에는 그럴만한 이유가 있고, 우리만 모를 뿐이다.
- 누군가 내게 욕을 하더라도 그 사람을 절대 비난하지 마라. 내가 욕 들을 짓거리를 하고 있는지 나 자신을 먼저 살펴보아라.

13.
「주식 투자 모임에서 스스로 걸어 나가다」로
풀어본 비밀의 문

◈ 상황

"윙~ 윙~." 핸드폰 진동 소리가 연거푸 조 회장의 신경을 거슬리게 했다. 전화를 건 사람은 한때 주식 투자 스터디 모임에서 친하게 지냈던 부회장 김필이었다. 그러나 조 회장은 그 전화를 받을 용기가 나지 않았고 혼잣말로 "내가 2년간 공들인 주식 투자 스터디 모임을 아무도 나가라는 말을 안 하는데, 계속 함께 하지 못하고 왜 내 발로 걸어 나가는 거지?"라며 중얼거렸다.

조 회장은 3년 전 나름 주식 투자를 체계적으로 공부하기 위해 사설 가치투자연구소에서 1년간 공부한 후, 기업 가치를 평가하고 주식 투자하는 사람들 위주로 스터디 모임을 결성하였다. 회원은 10명 안팎으로 모두 조 회장이 엄선한 정예 멤버였다. 개중에는 젊은 여성 회계사도 있었고, 대기업 연구소 박사학위를 소지한 사람도 있었고, 치과의사도 있었다. 모임 구성원 모두 인재들이었고, 조 회장은 이 주식 모임을 통해 주식 투자를 함에 있어 많은 도움이 될 것이라고 자부하였다.

모임이 2년째 운영되는 어느 날, 부회장 김필의 소개로 주식 차트 투자를 잘한다는 성규를 모임에 합류시켰다. 문제는 그때부터 시작된 것 같았다. 회원들이 조 회장의 말보다 풍부한 차트 분석을 통한 성규의 말에 더 신뢰를 하고 따랐다. 조 회장은 모임을 결성한 애초 취지인 구성원 간 시너지를 통한 주식 투자에서, 어떻게 하면 모임 회원들이 내 말을 더 잘 듣고, 나를 더 따라 줄까 하는 쪽에 마음이 더 쓰였고, 날이 가면 갈수록 회원들이 성규의 말을 더 잘 따르는 모습을 보면서 성규에 대한 미운 감정이 마음을 가득 채웠다. 그리고 몇 달 후 조 회장 스스로 공들인 주식 모임을 탈퇴했다.

✎ 이치

어처구니없는 일입니다. 아무도 모임에서 나가라고 한 사람이 없는데, 자기 스스로 짜 놓은 덫에 걸려 벗어나지 못하고 자멸한 꼴입니다. 이건 '**욕심**'이 불러낸 화입니다. 우리가 욕심이라 함은 물질에 대한 욕심, 돈에 대한 욕심만을 단순히 생각하는데, 사실 내 마음 깊은 곳에 자리 잡은 욕심은 **'사람을 내 마음대로 조종하고 싶어 하는 것'**을 일컫습니다. 조물주는 우리로 하여금 다른 사람을 지배하고 마음대로 조종할 수 있는 힘을 부여하지 않았습니다. 이건 우리 자식도 부모 마음대로 할 수 없어 '자식 이기는 부모 없다'는 말과 일응 같은 말입니다. 조 회장이 배워야 할 사회공부는 무엇일까요? 자신이 회장이라고 하여, 회장 말을 회원들이 모두 다 따라 주어야 한다는 욕심을 버려야 합니다. 모임을 만든 취지가 회원들의 의견을 서로 주고받음으로써 주식 투자에 있어 시너지 효과를 이루어내는 것이 목적이라면, 모임의 방향이 목적대로 흘러가고 있는지 그것만이 모임의 존재 이유이고, 조회장의 개인적인 욕심은 전혀 고려 대상이 아닙니다. 모임 회원들이 조 회장의 말을 잘 따르도록 하려면 **스스로 실력을 키워야** 합니다. 조 회장의 주식 투자 실력이 빛을 발한다면, 그리하여 회원들의 주식 투자 수익에 큰 기여를 하여 도움을 주고 있다면, 조회장이 의도한 대로 자신의 말을 회원들이 따라주기 바라지 않아도 회원들 스스로 조 회장을 따릅니다. 즉, 실력이 부족하기 때문에 조 회장의 말을 안 따르는 것이고, 실력이 뛰어난 성규의 등장으로 미운 감정이 모임의 결성취지를 가로막아, 조 회장의 분별을 흐리게 한 결과를 초래한 것입니다. 그 결과 조 회장은 자존심 때문에 스스로 자신이 만든 모임을 탈퇴할 수밖에 없는 것이구요. 조 회장은 이번 기회에 스스로 모임을 걸어 나올 수밖에 없었던 원인이 나에게 있음을 분명히 알고, 다시는 이런 실수를 반복하지 말아야 모임을 통한 즐거운 삶을 사는 것입니다.

또한 주식 차트 고수 성규의 등장은 조 회장의 어리석음을 깨닫게 해 주려고 다가온 인연인데, 조 회장은 미운 감정으로만 성규를 대합니다. 나의 어리석음을 깨닫게 해 주는 방법이 나에게 친절한 모습으로, 그리고 내 말을 잘 듣는 사람을 통해 꼭 나타나는 법은 없습니다. 오히려 조 회장의 주식 투자의 비천한 실력과 안이한 생각을 뼈저리게 느끼게 해 주려고, 조물주는 주식 고수를 조 회장 앞에 보내는 것임을 우리는 분명히 인식해야 할 것입니다. **남을 탓하면 내 잘못을 모르기 때문에 나의 부족함을 갖추지 못합니다.** 조 회장이 주식 고수인 성규의 차트 가르침을 배우려는 자세로 모임에서 임했다면, 조 회장이 애초 모임을 결성할 당시의 취지인 회원 간 시너지 효과는 배가 되어 조 회장에게 돌아왔을 것이고, 조 회장 역시 성규를 통해 또 다른 주식 세계의 많은 것을 배웠을 겁니다.

어떤 단체가 생기려면, 먼저 단체의 결성 목적이 있어야 하고 그 목적에 따라 사람이 모입니다. 목적이 어떤 내용이냐에 따라,

사람이 오기도 하고 떠나기도 합니다. 목적이 바르고 크다면 많은 사람이 올 것이고, 오는 사람 중에 바르고 큰 목적에 투자하고 싶은 사람도 있습니다. 주식 모임에도 기업 가치를 평가함에 있어 차트를 고려하지 않고, 오직 재무제표를 중심으로 한 기업 가치만 철저히 따지는 모임이 있는가 하면, 차트의 변화를 보면서 돈이 몰리는지 아니면 돈이 떠나는지를 면밀하게 파악하여 기업에 신속하게 투자하는 사람도 있습니다.

즉, 모임에 어떤 사람이 오느냐는 모임 결성의 취지 및 목적에 따라 수단과 방법을 달리하여 나타납니다. 예를 들어, 조 회장의 주식 투자 모임이 재무제표 등 기업 가치만을 중점적으로 평가한 후 해당 기업에 투자하는 모임이라면, 절대로 주식 차트 고수 성규의 등장은 있을 수 없는 일입니다. 설사 등장이 있다 하더라도, 지향하는 방향이 다르기 때문에 떠나게 됩니다.

14.
「아이고, 이 바보 같은 등신아」로
풀어본 비밀의 문

✎ 상황

　박착한은 올해 나이 31살로 직업은 일식집 요리사이다. 박착한은 오늘 OO검찰청에 가서 입안의 침을 이용하여 검사하는 DNA 시료 채취에 응하고 왔다. 죄명이 강제추행이고 벌금이 300만 원 확정되었는데, 담당 공무원은 강제추행 범죄가 DNA 채취 대상 범죄라고 하여 오늘 검찰청에 방문한 것이다. 박착한은 담당 공무원을 보자마자, 억울하다며 하소연을 했다. "버스 안에서 저는 단지 좌석 팔걸이에 팔짱 낀 상태에서 손을 올려놓고 있었는데, 그날 친구들과 술을 마시긴 했지만, 술에 취한 정도는 아니어서 제가 옆자리에 앉아있는 그 여성분 가슴 부근을 만졌을 리 없어요.", "경찰서에서 담당 형사에게 제가 그런 사실이 없다고 수십 번 이야기해도 그냥 합의하라고만 해서 저는 합의할 이유가 없어 안 했는데, 벌금 300만 원이 나왔어요."

담당 공무원은 법원에 정식재판[1]을 청구하였는지 물어보자, 박착한은 "정식재판 뭔가 하는 문자메시지가 제 핸드폰에 찍혔는데, 변호사도 사야 하고, 제가 일식집에서 근무하다 보니 업무시간에 시간을 뺄 수도 없었고, 제가 그 여성분을 추행한 사실이 없으니 처벌 안 받을 거야라고 생각한 것이 여기까지 오게 된 거예요." 박착한의 말을 들은 담당 공무원은 "나이가 31살이면, 이제 완전한 성인인데 어떻게 하지도 않은 강제추행으로 형사처벌을 받나요? 억울하면 항소하고 판사 앞에서 사실대로 말했어야지, 스스로 불복절차를 포기한다는 것이 말이 되나요?"라며 박착한을 힐난했다.

✎ 이치

우리나라 현행법은 성인으로 간주하는 나이가 몇 살인지 궁금해서 네이버 지식검색을 통해 찾아보았더니, 성인(成人)은 "다 자란 사람, 또는 다 자라서 자기 일에 책임을 질 수 있는 사람을 뜻

---

[1] 정식재판: 약식명령을 받은 피고인 또는 검사가 약식명령에 대하여 불복신청을 하였을 때 및 즉결심판을 받은 피고인이 이에 불복신정을 하였을 때 행하여진다. 정식재판의 청구는 재판의 고지를 받은 날로부터 7일 이내에, 약식명령에 대하여는 그 명령을 한 법원에 서면으로 제출하고(형사소송법 453조 2항), 즉결심판에 대하여는 서면으로 경찰서장을 경유하여 소관지방법원 또는 지방법원지원에 한다(법원조직법 35조, 즉결심판에 관한 절차법 14조).

하며, 민법상 19세 이상의 성인을 가리킨다."고 기재되어 있네요. **자기 일에 책임을 질 수 있는 사람**의 나이가 민법상 획일적으로 19세 이상의 성인을 말하는 것으로 보이는데, 제가 보기엔 나이보다 자기 일에 책임을 질 수 있는 사람을 성인이라고 해야 맞지 않을까 싶습니다. 위 사례에 등장하는 박착한과 같이 나이가 31살이어도 억울한 상황을 제대로 풀 방법을 모르거나 '잘못한 것이 없으니 어떻게 되겠지.'라는 안이한 생각을 품고 있는 사람은 무늬만 성인일 뿐입니다. 억울한 상황에 처할 일은 세상에 널려 있습니다. 예컨대, 출근길에 길가에 떨어져 있는 핸드폰이 눈에 띄어 주운 후 주위를 둘러봐도 핸드폰을 잃어버린 사람을 찾을 수 없어 주변 파출소를 찾아보니 거리가 멀기에 퇴근길에 파출소에 전해 줄 생각으로 회사 사무실 서랍에 잠시 보관을 한 사건이 있었습니다. 핸드폰 주인은 그사이에 경찰서에 절도 신고를 하였고, 경찰은 근처 전봇대에 설치된 CCTV를 판독한 결과 그 핸드폰을 주운 사람을 절도범으로 체포하였는데, 세상은 이렇게 이런 일 저런 일, 억울한 일, 어처구니없는 일, 비굴한 일 등 천차만별의 모습을 띠고 우리 앞에 나타납니다. 이때 사회공부를 많이 하여 실력을 갖춘 사람은 이런 환경의 다가옴에 어리석게 처신하지 않습니다. 나이가 아무리 많아도, 사회공부를 제대로 하지 않고,

단순히 열심히만 살아온 '착한' 사람은 이런 억울한 경우나 비굴한 일을 당했을 때, 어떻게 처신해야 하고 어떻게 풀어나가야 바람직한 것인지 모르기 때문에 우왕좌왕합니다. 그리고 지레 포기하거나, '잘 되겠지.'라는 체념을 합니다.

예전에는 결혼 적령기가 남자 20대 후반, 여자 20대 중반이었는데 계속 결혼 적령기 나이가 늘어나더니, 요즘 남자 여자 구분 없이 30대 중반~40대 초반 사이에 결혼하는 경우가 많아지고 있습니다. 시대가 요구하는 물질의 단위가 과거와 비교도 할 수 없을 정도로 높아졌고, 정신의 크기와 깊이도 크고 높아져 과거에 결혼 적령기만 이르면 결혼해야 한다는 공식이 이제는 즐기면서 값진 인생을 살고자 하는 욕망을 결혼 선택의 최우선으로 두다 보니, 아무래도 혼자 사는 것이 당연하다는 쪽으로 흘러가는 것 같습니다. 결혼을 했다 하더라도 여성의 의식 수준이 높아져 맞벌이 부부가 많아지고, 그러다 보니 형편상 아이를 1명, 잘해야 2명, 이렇게 적게 출산하여 양육을 하는 실정입니다. 그러다 보니 맞벌이 부부 가정의 자녀일 경우, 평일에는 엄마 아빠가 퇴근하여 돌아올 때까지 각종 학원을 한 바퀴 두 바퀴 돌리면서 여러 가지 시식 교육을 받게 하고 집에 돌아오면 회사에서 지친 엄마 아빠와 제대로 된 대화 없이 그다음 날을 맞이하기 일쑤입니다.

아이가 성인으로 성장하기까지, 몸만 자라면 성인이 되는 것이 아니라 생각도 몸에 걸맞게 성장하여 바른 분별을 할 줄 아는 사람이 되어야 합니다. 생각이 성장하려면 무엇을 배워야 할까요? 생각이 성장을 하기 위해서 책을 많이 읽어 간접적으로 여러 경험을 접하는 것은 기본 바탕이고, 자기가 좋아하는 분야의 멘토를 찾아 그 멘토로부터 한 수 가르침을 받는 것도 좋은 방법입니다. 그러나 생각이 성장함에 있어 가장 효과적인 공부 방법은 나에게 주어진 환경, 예를 들어 그 환경이 결손 가정이라 할지라도 그 환경을 통해 원인을 알고, 앞으로 이런 환경을 벗어나기 위해 어떻게 스스로 노력해야 하는지 공부하고, 그 환경 속에서 만난 인연을 소중히 여기면서 만나는 사람을 통해 배울 점, 고칠 점, 개선할 점을 하나씩 다듬어 가는 과정을 겪는 것입니다. 박착한이 처한 억울한 형사 사건을 보면 강제추행범으로 몰려 경찰서에서 조사를 받았고, 조사받는 과정 중에 경찰은 합의를 하라는 이야기를 해 줍니다. 박착한은 실제 옆자리에 앉은 여성을 추행한 사실이 없다는 주장만 했지 어떻게 이 난국을 현명하게 벗어나야 올바른 것인지에 대한 분별을 하지 않았습니다. 또한, 경찰관이 조언한 피해자와 합의 제시와 정식재판 청구 절차를 통한 판사 앞에서 추행한 사실이 없었음을 항의할 기회가 있었으나, 박착한은 "내가 실제 추행한 사실이 없고, 그렇게 경찰에 말했으니, 괜찮을 거야."라는 자기 최면을 걸어두고 안이하게 대처를 합니다. 그 대가로 박착한은 TV뉴스에서나 보아왔던 강제추행범으로 세상에 낙인이 찍혀 버립니다. 박착한은 자신의 잘못 없음을 사회에 이야기했음에도 인정해주지 않았다고 하면서 세상을 향해 불평·불만을 토해 내지만, 세상은 박착한에게 사회 공부인 형사소송 전반을 접하게 해 주면서 현장 실습을 시킨 것이고, 그 현장 실습을 통해 박착한이 제대로 공부를 하였다면 억울한 누명을 뒤집어쓴 사건 역시 잘 풀리었을 것이고, 앞으로 이런 환경이 박착한에게 또다시 다가올 때 올바른 분별로 더 지혜롭게 잘 대처를 했을 겁니다. 사회에 나오기 전에 이런 생각을 가지고 자신을 다듬어 나가는 공부를 가정에서, 학교에서 충실히 해 보기 바랍니다. 부모가 한쪽밖에 없는 가정이라면, 우리 부모가 이혼한 것을 가지고 원망만 하지 말고, 다시는 우리 부모와 같이 이혼하여 내 자식들에게 똑같은 환경을 주지 않으려면 나 자신은 어떤 배우자를 만날 것이며 어떻게 결혼생활을 해 나갈지를 부모님을 거울삼아 고치고 개선해나가는 노력을 해야 합니다. 이런 노력이 모여서 우리는 더한층 성인으로서 올바른 삶을 살 수 있는 것입니다.

15.
「어떻게 나를 계속 감쪽같이 속일 수가 있지」로 풀어본 비밀의 문

✎ 상황

박순녀는 김악질을 사기죄로 형사 고소하기 위해 고소장을 작성하면서 사기당한 금액을 보니, 자그만지 8억 원이 훌쩍 넘었다.

"아니 내가 이거 미친 거 아냐, 어떻게 피 같은 내 돈이 이년한테 술술 넘어갔지?"

사기꾼 김악질을 만난 건 강남에 사는 친구 미애의 권유로 가입한 번호계였고, 김악질은 계주였다. 김악질은 순녀에게 강원도 평창에 있는 임야를 4명이서 매입하여 토지 형질변경을 하여 땅의 가치를 높인 후 다시 매도함으로써 시세 차익을 나눠 갖자고 하면서 순녀에게 투자할 것을 권유했고, 강원도 평창에 있는 임야 현장도 함께 데리고 가서 보여주었다. 그 후 순녀는 김악질에게 2천만 원을 투자했다. 그 투자를 시작으로 순녀는 김악질에게 총 7번에 걸쳐 김악질의 아파트 대출 상환, 사채 상환 등에 총 8억 4천만 원의 피 같은 돈이 흘러갔다.

고소장을 작성하면서 순녀는 한숨이 절로 나왔다.

"어떻게 이리도 쉽사리 내가 속아 넘어갈 수 있지, 지금 생각해보면 상식적으로 말이 안 되는 일들이 너무 많은데, 바보처럼 당하다니…"

✎ 이치

사기를 당한 사람은 의외로 겉으로 보기엔 똑똑하고 유식한 사람들이 많습니다. 제가 사기를 당한 사람들을 오랫동안 지켜보면서 느낀 점은 많이 배웠다 하여 똑똑한 사람이 아니고, 사기를 당하지 않는 것은 아니라는 것입니다. 사기꾼은 많이 배운 사람들에게 **감성적(Sentimental)**으로 접근합니다. 마음을 움직이는 것이죠. 이성이 '안돼.'라고 브레이크를 걸어도 상대방에게 한 번 쌓인 신뢰, 또는 믿음, 이런 것으로 말미암아 계속 사기꾼을 믿게 한다는 것입니다. 그래서 슬프게도 **한 번 사기를 당하면 또 사기를 당할 확률이 큽니다.**

순녀는 번호계 계주였던 김악질의 친절한 성격, 사람을 다루는 능력, 뭔가 모를 믿음, 이런 무형의 강한 에너지에 의해 올바른 판단을 이미 할 수 없는 상태였습니다. 또한, 아무리 작은 투자금이라 할지라도 한 번 투입이 되면, 그 돈을 잃지 않으려는 사람의 심리 때문에 계속 사기꾼의 말에 또 다른 투자를 하게 됩니다.

사기꾼은 처음부터 악마의 얼굴을 드러내지 않습니다. 처음에는 선한 얼굴로 다가오고, 끝없는 신뢰와 믿음을 끌어내기 위해 갖은 방법과 수단을 동원하는 거죠. 그러다가 아주 작은 소액의 돈을 빌려 달라고 요구하고, 이자를 절대 어기는 일이 없으며 상환기일에 맞추어 제때 상환을 합니다. 이런 일련의 행위들은 상대방의 신뢰와 믿음을 얻기 위한 절차일 뿐입니다. 그러면서 계속 돈의 액수를 키워 큰돈을 빌려 달라거나 사업 투자를 권유합니다. 그리곤 갑자기 잘 보내주던 이자 역시 주지 않고, 어느 순간 연락을 끊고 잠적을 해 버리는 거죠.

그러면 왜 순녀 앞에 사기꾼이 나타났는지와 돈에 대한 원리에 대해 알아볼까요? 돈은 저수지처럼 고여 있지 않고 파이프(Pipe)를 통해 흘러들어 오고 흘러나갑니다. 이것이 자연의 법칙입니다. 어디서 와서 어디로 흘러가는 것일까요? 돈을 모아 놓고 어디에 쓸지 모르는 사람들에게 자연(우주)은 어떤 식으로든 그 돈을 가치 있게 사용하려는 사람들에게 보내주기 위해 사자(使者)인 사기꾼을 보내어 돈을 빼앗아 버립니다. 이와 달리 사회에 어떤 기여를 하겠다는 목표를 품은 사람에게는 자연이 사람을 통해 돈을 보내주어 가치 있는 일을 행할 수 있게 만들어 줍니다. 단순히 돈만 많이 벌겠다는 생각으로 돈을 버는 사람은 설사 그 돈을 수중에 넣었다 하더라도 그 돈을 사기당하거나 돈을 꼭 사용할 수밖에 없는 상황이 만들어져 돈이 반드시 나가게 됩니다. 부자가 되려면, 목표를 세우세요. 원대한 목표가 아니더라도 사회에 가치 있는 일을 꼭 해야겠다는 목표를 세우기 바랍니다. 그 목표에 걸맞게 충분한 돈이 흘러들어 옵니다. 원하는 것을 얻기 위해서는 돈이 아니라 목표 자체를 생각하세요. 돈은 저절로 따라올 것입니다. 그 목표가 단순히 자신만의 행복이 아닌 사회, 인류에 도움이 될 만한 원대한 목표를 세우세요. 목표의 크기만큼 돈도 따라 흘러들어 옵니다. 이것이 파이프 원리입니다. 내가 이 세상에 내놓을 것이 무엇이 있을까에 초점을 맞추어 매 순간 생각을 하기 바랍니다.

목표란 바라는 것, 원하는 것을 말합니다. 그런데 단순히 바라고 원하기만 하면 알아서 이루어지는 것이 아닙니다. **무엇을** 비라고 원하는지, 그리고 그 무엇의 주체가 자신만의 행복을 위한 것인지, 많은 사람의 행복을 위한 것인지에 따라서 주어지는 재물의 양도 다르고 쓰임새도 제각각입니다. 우리는 목표를 성취하기 위해 열심히 살았지만 결과물이 없고 행복하지 않을 때가 종종 있습니다. 이건 열심히만 살았지 왜 열심히 살아야 하고 무엇을 위해 열심히 살아야 하는지를 살면서 잊어버리고 그냥 열심히만 살았기 때문입니다. 예를 들어 가난한 집에 공부밖에는 할 줄 모르는 학생 A 군이 있었습니다. A는 장차 나라의 큰 일꾼이 되어 자기와 같이 가난하고 소외당하는 사람들의 복지를 위해 살아야 겠다는 원대한 목표를 세우고 열심히 공부하여 행정고시를 수석으로 합격한 후, 중앙부처 사무관으로 임용이 되어 가난하고 소외당하는 사람들을 위한 복지정책을 밤을 새워 가면서 입안하고 그 정책을 펼쳤습니다. 몸은 힘들고 고달팠지만, 내가 만든 복지정책이 널리 집행이 되어 가난하고 소외당하는 사람들의 힘들고 어려운 삶에 조금이나마 도움이 되는 것을 보고 A는 보람을 느끼고 기뻤습니다. 10년이 지난 후, A는 어느덧 고위공무원이 되었고 집안 형편도 나아져서 남부럽지 않은 큰 아파트에서 살고 고급 차를 타고 다니면서 씀씀이가 커지기 시작했습니다. 때마침 대기업에서 좋은 조건으로 스카우트 제의가 들어와 고액 연봉을 주는 곳으로 이직하게 됩니다. 대기업 이사가 된 A는 그 전에 다녔던 공무원 월급과 비교도 되지 않을 만큼 훨씬 더 많은 월급에 개인비서, 개인사무실, 그리고 외제 차까지 제공받습니다. 이제 A의 미래는 핑크빛으로 보였고 더 이상 바랄 것이 없어 보였습니다. 그런 A가 어느 날 삶이 행복하지 않고 답답하고, 우울함에 따라 연신 술을 마시고 방탕한 생활을 하게 됩니다. 물질적으로 풍요로움을 성취한 A가 왜 우울증에 빠지고 자신의 삶을 비관하게 되는 지경까지 이르렀을까요?

A는 가난 속에서 열심히 공부하면서 품어 왔던 원대한 목표, 즉 가난하고 소외당하는 사람들의 힘든 삶을 도와주겠다는 꿈을 어느 순간 잃어버렸기 때문에 돈이 훨씬 더 많아졌음에도 행복감이 전혀 느껴지지 않는 것입니다. 불우한 이웃을 도울 목적으로 열심히 공부하여 정부 관료가 된 후, 복지 정책을 입안하고 집행하는 일을 하면서 보람과 기쁨을 느끼는 것, 이것이 A가 추구하던 목표였고, 그 목표는 재물의 소유가 아니었음은 분명합니다.

16.
「리니지 게임에 기생하는 거머리」로 풀어본
비밀의 문

✎ 상황

준혁은 하루하루 통장에 돈이 쌓여 가는 것을 보고 즐거운 마음에 저절로 얼굴에 미소가 지어졌다. "이렇게 1년만 모인다면 대체 돈이 얼마야, 우와 이거 몇 년만 모이면 나도 남부럽지 않게 살 수 있겠어."

준혁은 온라인 게임 리니지를 하는 사람들에게 오토프로그램 코드를 판매하는 사람이고 올해 나이 29살이다. 오토프로그램은 자동으로 리니지 게임 점수를 올려 주는 프로그램으로 이는 게임 질서를 해친다는 명목으로 현행법에선 불법이다. 준혁은 오토프로그램 코드를 원하는 사람들을 대상으로 1년 동안 판매한 수익금만 2억 8천만 원이 넘었다.

어느 날 오후 늦게 한 통의 전화가 준혁의 핸드폰에 걸려 왔다. "여기 ○○경찰서입니다. XX통장 계좌 사용하시는 분 맞으시죠? 경찰서에 게임물 법 위반혐의로 조사받으러 출석하세요."라고 무뚝뚝한 음성으로 수사관이 말했다.

경찰서에서 조사를 받으면서, 준혁은 "리니지 게임을 하는 사람들이 자동으로 점수를 획득해 온라인상 더 성능이 좋은 무기를 들고 싸울 수 있도록 도와주는 일을 한 것인데, 뭘 그리 잘못했다고 이리 혼낸다는 말인가?"라고 중얼거렸다.

한 달 후 판사는 준혁을 게임물 법 위반으로 징역 1년, 수익금 전액 환수조치를 선고했고, 준혁은 교도소에 수감되어 생활하는 동안 "내가 뭘 그리 잘못했다고 징역 1년이나 선고한다는 말인가!"라며 온종일 불평·불만에 가득한 생각으로 살아갔다.

7월 하순 기나긴 장마가 시작되었고, 교도소 창문 철장에 튕기는 빗소리에 새벽잠이 깬 준혁은 '무슨 짓을 하더라도 돈만 벌면 돼.'라는 생각이 마음 깊은 곳에서 울려 퍼졌다.

✎ 이치

우리는 누구나 풍요로운 삶을 원합니다. 풍요롭다는 말은 경제적으로 여유로울 뿐만 아니라 행복감이 충만하여 있는 것을 뜻합니다. 경제적으로 풍요로움을 갖기 위해 우리는 주어진 경제적인 현실 범위 안에서 일반적인 재테크 방법인 주식, 부동산 투자를 합니다. 주식과 부동산 투자를 열심히 하면 큰돈을 벌 수 있을까요? 주식과 부동산 투자로 돈을 크게 번 사람도 있고, 반대로 패가망신한 사람도 많이 있습니다. 그러면 주식과 부동산으로 돈을 크게 번 사람은 해박한 지식을 갖기 위해 밤새워 재테크 공부를 한 다음 실전에서 투자수익을 올린 사람일까요? 재테크 공부를 열심히 하여 달달 외우면, 세상에 나가 돈을 엄청 벌 거라고 정말 생각하나요?

세상 사람들은 "돈을 좇아가지 말고 따라오게 하라."는 말을 흔히 듣곤 합니다. 주식과 부동산 투자를 하여 수익을 올리려는 행위는 돈을 좇아가려는 행위입니다.

이와 달리 돈이 내게 자석처럼 철썩 붙게 하려면, 먼저 내가 그만한 그릇이 되어야 합니다. 그만한 그릇이 되어 내게 오는 돈을 담아 그 돈으로 어떤 일을 할 것인가에 대한 확고한 기준과 계획이 있어야 합니다. 어릴 때 학교 선생님이 말씀하신 대로 "사회에 기여하는 훌륭한 사람이 되어야 한다."는 것과 일맥상통합니다. 돈을 어떻게 하면 많이 벌 수 있을까라는 생각을 하지 말고, 나의 소질과 재주에 알맞은 자신의 그릇을 잘 만들어 놓으면 그 그릇에 충분한 돈이 흘러들어 올 것이고, 그 그릇의 쓰임새는 단순히 개인적인 행복 또는 가족만의 행복이 아닌 사회에 기여할 만한 뜻 있는 일에 사용하는 것입니다.

리니지 게임을 하는 유저를 상대로 점수를 자동으로 획득하게 도와주는 불법 오토프로그램 코드를 판매하는 준혁은 "게임 유저들을 도와주는 일을 했는데, 왜 현행법상 불법이라고 하여 나의 자유를 억압하고 수익금을 환수한다는 말인가." 하고 불평·불만을 하지만, 그 이면에는 오토프로그램 코드를 판매한 수익금을 많이 가질 수는 있어도, 그 돈의 쓰임새가 개인의 행복만을 위해 맞추어져 있기 때문에 준혁은 불법을 서슴지 않은 것이며, 들어온 돈 역시 구심점이 없기 때문에 어느 순간 사라져 버립니다.

우리에게 돈이란 자유로 가는 길이며 돈이 많으면 선택권도 점점 더 많아집니다. 선택권이 많아지면 아무래도 재미있는 일도 점점 더 많아질 거라고 생각을 하죠. 그러나 먼저 생각해야 할 점은 우리는 하고 싶은 일을 결정할 때 그것을 할 수 있는 돈이 얼마나 있는가보다는, 그 일이 어떻게 느껴지는지, 즉 뜻 있는 일에 돈을 얼마나 가치 있게 쓰는지에 대한 진지한 생각을 해야 거기에 걸맞는 돈이 들어옵니다. 즉 운동량이 많아질수록 폐활량이 늘어나는 것처럼 돈을 가치 있게 잘 사용하면 할수록 우리한테 돈은 가치 있는 곳에 살 사용하라고 더 많이 들어옵니다.

우리는 현재 가진 것이 없고 돈이 없어서 어떤 멋진 일을 하고 싶어도 쓸 돈이 없다고 하지만, 사실 세상은 돈이 넘쳐 나고 그 돈의 쓰임은 무궁무진합니다. 다만, 그 돈은 우리가 어떤 그릇을 만들고, 그 그릇의 쓰임새가 어떤 일을 구체적으로 계획하는지에 따라 저절로 흘러들어 온다는 사실입니다. 또한, 그 돈은 보이지 않는 차원에서 당신을 기다리고 있습니다. 그것이 눈에 보이는 차원으로 나타나기를 바란다면, 먼저 돈이 담길 그릇과 그 그릇의 쓰임새를 당신이 결정해 주세요.

행복의 비결

행복을 갖기 위해 나는 행복을 쫓아갔다.

높이 솟은 참나무와 바람에 흔들리는 담쟁이덩굴을 지나서,

행복은 달아나고, 나는 뒤를 쫓는다.

경사진 언덕과 골짜기를 넘어,

들판과 초원을 지나, 자줏빛 계곡에서

기운차게 흐르는 시냇물을 따라 달리며,

독수리가 우는 아슬아슬한 벼랑을 기어올랐다.

모든 육지와 바다를 바쁘게 돌아다녔지만,

행복은 늘 나를 피해 달아났다.

지치고, 마음 약해진 나는 더 이상 쫓아가질 않았고,

불모의 땅에 그냥 주저앉아 버렸다.

누군가 내게로 와 음식을 달라 하였고,

또 누군가는 자신을 부탁하였다.

나는 그들의 여윈 손에 빵과 돈을 쥐여 주었다.

누군가 동정을 구하러 왔고, 또 누군가는 휴식을 찾아왔다.

나는 도움이 필요한 모든 이와 함께 내가 가진 모든 것을 나누었다.

그때, 보라! 감미로운 행복이 성스러운 모습으로 내 옆에 서 있네.

'나는 너의 것'이라고 부드럽게 속삭이며.

— 벌라이(Burleigh) —

17.
「벤처업계의 황태자」로 풀어본
비밀의 문

✎ 상황

2016.05.18. 서울경제신문 사회면에 있는 기사다.

'엔젤투자' 빙자해 보조금 5억 가로챈 벤처기업가 '징역 4년'

서울경제 서민준 기자

창업 회사를 육성한다는 명목으로 정부 보조금 5억 원을 받아 가로챈 벤처기업가가 법원에서 징역형을 선고 받았다. 서울OO지법 형사O단독 김ㅁㅁ 판사는 18일 사기, 횡령 등 혐의로 기소된 O□△투자이사에 징역 4년을 선고했다. 김 판사는 "은행 입출금 거래내역서 등을 위조하고 자신이 관리하는 업체를 유망한 벤처기업으로 기망하는 등 방법으로 국민의 세금을 재원으로 하는 보조금을 편취했다."고 지적했다.

O□△는 2012년 초기 벤처기업의 성장을 돕는 엔젤투자자를 자처하며 창업을 꿈꾸는 대학생들에게 접근, 회사를 차리게 한 뒤 중소기업청으로부터 보조금 9,100만 원을 받아냈다. 하지만 이들 회사는 아무런 실체가 없는 유령회사였다. O□△는 이듬해에도 가짜 창업 회사를 앞세워 연구개발비 등 명목으로 기술신용보증기금의 보증서를 받아낸 뒤 3억 7천만 원의 대출금을 가로채기도 했다. 중소기업진흥공단으로부터도 청년 전용 창업자금 명목으로 5,000만 원을 뜯어냈다.

◈ 이치

바야흐로 창업의 시대입니다. 청년층, 퇴직한 중장년층, 노년층 할 것 없이 너나 할 것 없이 창업의 무대에 뛰어들고 있습니다. 그런데 예비창업자를 돕는다는 명목하에 멘토와 멘티 관계를 설정해 놓고 교육을 빙자해서 자신의 부를 축적하는 도구로 예비창업자를 이용하는 일이 있으니, 우리는 이런 사기꾼 멘토를 한 층 더 분별하는 능력을 갖추어야 합니다.

창업은 두 종류가 있는데, 하나는 고객들을 상대로 단순히 돈을 많이 벌어 부자가 되고싶어 창업하는 경우가 있고, 또다른 하나는 사회에 뭔가 필요한 것을 제공하기 위해, 그것이 무형의 산물이든 유형의 제품이든 간에 미력하나마 고객에게 도움이 될 뭔가를 제공하기 위해 창업을 하는 경우가 있습니다. 전자는 단순히 돈을 벌 목적으로 젊은이와 퇴직자들이 창업하는 것이므로, 먼저 사회에서 현장 실습을 마친 더 높은 고단수의 사기꾼을 만나기 쉽습니다. 그 이유는 대학을 갓 나온 젊은이와 오랜 직장생활을 해온 퇴직자들은 아직 사회에서 현장 실습 경험이 없거나 있더라도 다양하지 않기 때문에, 똑같은 목적인 돈을 벌 요량으로 나온 사람들, 예컨대 나보다 더 현장 경험이 많은 사람에게 먹히거나, 또는 사회 초보자의 돈을 노리고 있는 사기꾼에게 당하여 가게 문을 닫는 경우가 종종 있습니다. 즉, 돈만 많이 벌 속셈인 사람은 살벌한 경쟁이 있는 전선으로 나가 제품을 하나라도 고객들에게 더 팔아 치우려는 마음뿐이지, 그 제품으로 말미암아 고객들이 어떤 기쁨을 누릴 수 있는지, 어떤 편리성이 있어 고객들이 필요로 하는지에 대한 물건 이면의 가치를 보려 하지 않습니다.

이와 달리 이 사회에 어떤 사업을 해야 필요한 사업인지, 또는 우리 사회의 모순에 대한 해결책을 제시하는 사업으로 어떤 것이 있을지에 대한 고민을 진지하게 한 후 창업을 한 사람은, 예컨대 음식점을 창업하는 사람은 음식 맛을 맛있게 하여 손님들을 끌어모아 돈 버는 데만 열중할 것이 아니라, 맛있는 음식을 통해 오는 손님을 어떻게 하면 기쁘게 하고 행복한 느낌을 전해 줄 수 있을지, 그리고 오는 손님을 어떻게 대해야 바르게 대하는 것인지에 대한 노력을 한다면 손님을 끌려고 노력을 하지 않아도, 오는 손님이 또 다른 손님을 계속 데리고 와 손님은 많아질 수밖에 없을 것입니다. 손님이 손님을 몰고 오면 돈은 자연히 따라올 수밖에 없습니다. 여기 꿈을 파는 화장품 회사가 있습니다. 이 회사는 기존 화장품 회사들이 단순히 화장품을 잘 만들어 소비자에게 많이 판매하는 데만 관심을 가지는 것을 보고, 이 단계를 뛰어넘어 소비자의 라이프 사이클을 잘 관찰하고 연구하여 화장을 통해 어떻게 하면 자기표현을 잘할 수 있는지, 그리고 어떻게 하면 화장을 통해 핑크빛 꿈을 가질 수 있는지에 초점을 맞추어 제품을 만들어 냅니다. 질 좋은 화장품에 꿈까지 담아 판다면 이 최징품은 날개 돋친 듯 팔릴 것입니다. 이럴 때 이런 회사 운영자를 두고 우리는 장사꾼이라 말하지 아니하고 사업가라 부릅니다.

　돈만 벌려는 장사와 달리 **사업은** 모름지기 사회 모순을 해결하고 기여하기 위해 가치 있는 일, 시스템 또는 콘텐츠, 상품을 새

롭게 창출하는 것을 말합니다. 예컨대 자동차, 빈방, 책 등 상품을 빌려 쓰고 나누어 쓰는 공유경제 트렌드 역시 **자원절약과 환경문제 해소를 위한 대책으로** 탄생한 시대적 흐름의 결과물입니다.

처음에 자동차는 진기한 물건이라서 부자들의 장난감이었습니다. 포드는 **모든 사람이 이용할 수 있게 값싼 대중적인 차를** 만들겠다는 혁신적인 생각을 하고 생산라인을 도입합니다. 포드가 성공한 비결은 바로 많은 팀을 조직적으로 움직여서 많은 차를 생산해 냄으로써 차의 가격을 낮추는 대량생산에 있었고, 이 생산라인 도입을 통해 포드는 1908년에 포드 티(T)를 생산해 냄으로써 자동차 운명을 바꾼 업적을 달성합니다.

이렇게 사업은 사회에 기여할 만한 무엇을 내놓고 수많은 사람에게 꼭 필요한 것을 제공하려는 큰 목표가 명확히 설정되어 있어야 합니다. 그 지향점을 보고 인재도 오고 돈도 흘러들어 오기 때문입니다.

▶세상을 바꾼 포드T 생산라인

[인터뷰 - 그린에너지그룹 최희철 회장]

매연 없는 세상 꿈꾸는 '지구 수호천사'

이뉴스투데이 신윤철 기자

기후변화에 따른 지구온난화로 세계는 전례 없이 몸살을 앓고 있다. 폭스바겐은 자동차 배출가스로 인한 대기오염 기준을 피하려고 속임수를 쓰다 발각되어 자사 제조 자동차 50만 대를 리콜(비용 약 20조 9,160억 원)하라는 법원 선고를 받았다. 자동차 매연이란 이름으로 알려진 배출가스에는 일산화탄소, 탄화수소, 질소산화물 등 많은 유해물질이 함유되어 있으며, 특히 일산화탄소는 대기 중 함량 0.1%만 되어도 사람들을 1시간 이내에 실신케 하고 4시간 이내에 사망에 이르게 할 정도로 치명적이다.

국내외적으로 자동차 배출가스에 대한 심각성이 높아지고 다양한 예방 노력이 확대되고 있는 가운데 국내의 한 기업인이 지구온난화의 주범인 매연을 90% 줄일 수 있는 매연저감장치 '수퍼에코'를 개발해 관심이 쏠리고 있다. 그 주인공은 바로 그린에너지그룹 최희철 회장. 최 회장은 스포츠산업, 의료기사업 등을 통해 성공한 사업가로 승승장구하다가 어느 날 갑자기 사기를 당해 나락에 떨어졌다. 실의에 빠져 지내다가 **자동차 매연의 심각성을 인지한 후, 지구환경 지킴이를 자처하고 자동차 매연저감장치 개발에 뛰어들어 14년간의 오랜 연구** 끝에 '수퍼에코'를 세상에 선보임으로써 재기의 나래를 펴고 있다.

물론 국내외적으로 이미 다양한 종류의 매연저감장치가 개발·활용되고 있다. 하지만 기존 제품들은 자동차의 배기통에 장착하거나 매연 배출 연결선에 연결하는 방식이 대부분이다. 하지만 '수퍼에코'는 자동차 배터리에 장착해 전자제어장치(ECU)에 적정 전류를 공급하도록 해 연료를 완전 연소시켜주는 기술을 접목했다. 현재 '수퍼에코'는 미국 등 전 세계 10여 개국에 특허를 출원했으며 기술평가기관으로부터 국내적인 기술적 가치는 150억 원, 세계적인 기술적 가치는 1조 원으로 각각 평가받았다. 최 회장을 만나 '수퍼에코'에 관해 알아보았다.

Q: 어떻게 시작하게 됐나?

A: "내 차에 직접 장착해보니 성능이 너무 좋아서 사업화하기 시작했다. 중국 손님들과 경유차 배기관 뒤에 앉아 술을 마신 적도 있는데, 유해가스가 전혀 배출되지 않아 전혀 해가 없다는 것을 확인할 수 있었다. 목숨 걸고 판매에 나서 볼 만한 제품이란 생각이 들었다. 나는 브리태니커 본부장을 지낸 사람이다. 영업의 본질은 제품력이다. 그만큼 확실한 제품이다."

– 이하 중략 –

창입에 도움이 될 책을 소개하면,

■ 『메시 Mesh』(저자 리사 갠스키)

치약, 비누, 핸드폰같이 일상에서 자주 접하는 물건들보다, 가격이 비싸고 사용 빈도수가 적은 물건을 대상으로 연결하고 빌려주는 사업에 관한 이야기

■ 『method style』(저자 에릭 라이언/ 애덤 라우리)

지극히 평범해 보이는 가정용 청소용품을 '가정용 액세서리'로 만들고, 청소를 즐겁게 만드는 것을 통해 청소용품을 '충동구매 상품'으로 만듦으로써 소비자의 '필요'를 '욕구'로 바꾼 미국 1위의 친환경 세제회사 'method' 이야기

■ 『부자 아빠, 가난한 아빠』(저자 로버트 기요사키)

사분면에 1) 봉급생활자(E), 2) 자영업자 또는 전문직 종사자(S), 3) 사업가(B), 4) 투자가(I) 이렇게 구분 지어 놓고, 능동적이고 행복한 삶을 살려면, B와 I분면으로 이동해야 한다는 당위성에 대한 이야기

E(봉급생활자)	B(사업가)
시스템을 위해 일함	시스템을 만들거나 소유, 통제
S(자영업자, 전문직종사자)	I(투자가)
시스템 자체	시스템에 돈을 투자

- 배 한 척을 만들려거든 사람들을 불러 모아 나무를
  해오게 하거나 이런저런 일을 시키려 하지 말고, 끝없이 망
  망한 바다에 대한 동경을 심어 주어라.
- 가치란 '높은 화폐가치'를 의미하지 않는다. 오히려 남들은
  소홀히 생각하거나 시장의 관심이 미치지 못한 것, 혹은 시
  대적 결핍요소이지만 필요한 것, 혹은 옳다고 생각하는 것
  을 의미한다.
- 브랜딩의 시작은 '소비자에게 무슨 상품을 팔까?'가 아닌 '어떤 가치
  를 팔까?'라는 철학적 질문에 답함으로써 시작된다.
- '진짜 브랜드'는 '목적이 이끄는 브랜드'이다. 현명한 소비자는
  물건을 사지 않는다. 가치 있는 철학을 소비할 뿐이다. 소비
  자들은 더욱 현명해지고 있다.
- 브랜드라는 것은 결국 가치를 통한 차별화와 차별화를 통한
  가치를 구축하는 것이다.
- 미래를 예측하려는 사람들이 가장 많이 하는 실수 중의 하
  나가 자신이 좋아하는 한 지점에서만 미래를 보려고 하는 것
  이다. 미래를 예견하는 것은 쉬운 일이다. 정말로 어려운 일
  은 현재의 상황을 파악하는 것이다.
- 미래는 '볼 수 있는 것'이 아니라, '만드는 것'이다.
  그러나 많은 사람이 미래를 보려고만 한다.

– 「브랜딩 임계지식 명언」에서 –

18.
「막혀버린 Secret」으로 풀어본
비밀의 문

✎ 상황

　형권은 올해 나이 44살이고, 지방에서 대학을 나와 서울에서 중견 건설회사 자재부 과장으로 근무하고 있고, 어린 자녀가 두 명 있다. 형권은 결혼을 친구들보다 10년 정도 늦게 했고 사회생활도 사법시험 공부를 오랜 기간 준비하는 바람에 그만큼 벌어놓은 돈도 없는 상태에서 결혼을 했다. 결혼할 당시 형권의 경제력이 무일푼이라는 사실을 안 처갓집은 아내와의 결혼에 무시무시한 반대와 방해를 했고, 그 반대와 방해를 무릅쓰고 결혼은 하였지만 현실은 당장 지하 단칸방에서 신혼살림을 해야만 했다. 형권은 결혼한 이후에도 처갓집의 무시하는 태도, "그 나이 먹도록 지금까지 뭘 한 거야.", "가진 것도 없는 것이 자존심은 있어가지고 기분 나빠나 하고 말이야.", "많이 배웠으면 뭐해, 아무것도 없잖아." 등 심한 말들을 너무 많이 들었고, 그런 억눌린 감정으로 인해 부부관계 역시 좋지 않은 상태였다.

밤늦은 서울 장위동, 어느 빌라촌 있는 놀이터에서 형권은 소주를 종이컵에 가득 채운 다음 한 번에 쭈우욱 들이킨 후, 미리 준비해 놓은 밧줄을 철봉에 걸고, 스스로 목숨을 끊었다.

형권은 죽기 전에 이메일로 아내에게 유서를 보냈는데, 그 유서 내용을 보면, 10억 원을 벌기 위해 대출금으로 무리한 주식 투자를 하여 실패한 것, 주식에 투자하여 잃어버린 돈을 다시 찾기 위해 사채까지 끌어들여 주식에 재투자한 것, 이런 일련의 주식 투자 과정들이 쓰여 있었고, 10억 원이 있다면 넓고 쾌적한 아파트를 사서 그곳에서 가족들과 행복하게 살고 싶다는 소망, 아내와 해외 크루즈 여행을 하고 싶다는 꿈, 연로한 부모님을 잘 모시고 싶다는 내용이 담겨 있었다. 아내는 그 유서를 읽으면서, 눈물이 주르륵 흘러내렸다. "바보처럼, 그렇게 주식 책을 밤새 읽으면서 투자하더니, 그렇게 열심히 공부했으면 부자가 되었어야지, 왜 죽어! 왜!"

✎ 이치

서민이 부자로 살기 위해 우리는 누구나 "어떻게 하면 돈을 많이 벌 수 있을까?"라는 생각을 머리에 이고 살아갑니다. 수중에 돈이 많지 않은 사람은 부동산 투자보다 아무래도 소액으로 굴릴 수 있는 주식 투자 길로 쉽게 나서기 마련입니다. 그리고 매수한 주식이 제발 오르기만을 기도하면서 생활합니다. 오죽했으면, 주식 투자동호회 모임에서 농담으로 주식 오르기를 기도하는 모임을 개최하자는 이야기까지 나오겠습니까? 부동산 투자도 마찬가지입니다. 내가 산 부동산이 주변 호재로 말미암아 가격이 제발 올라가기만을 염원하는 거죠. 주식이나 부동산 투자 모두 시세차익을 노려 돈을 벌어 보겠다는 생각이 보통 일반인이 품고 있는 생각입니다.

여기 내가 산 주식이나 부동산이 제발 올라가기만을 기도하는 마음을 잘 관찰한 사람들이 어떻게 하면 부를 이룰 수 있을 것인지, 어떻게 하면 부자가 될 수 있는지에 대한 생각들을 글로 담아 책으로 출간되는 경우가 종종 있는데, 여러분들이 익히 알고 있는 『시크릿』(저자 론다 번) 역시 이런 종류의 책 중 한 권인 셈이죠.

부자는 **어떻게** 하면 되는 것일까요? 정말 풍요로운 삶을 살고 싶은데, **어떻게** 하면 돈을 많이 가질 수 있을까요? 이런 '어떻게'라는 주제로 부자, 풍요로운 삶을 원하는 분들은 미안하지만 절대 부자가 될 수 없습니다. 여러 가지 테마로 엮어 제가 풀어본 비밀의 문을 읽어본 독자라면 왜 안 되는지 대충 눈치를 챘을 건데, 돈의 원리는 흐르는 물과 같이 에너지의 흐름입니다. 에너지를 모은다는 말은 돈이 몰린다, 온다는 말과 같습니다. 그러면 어떻게 해야 돈이 몰려서 온다는 말인가요? 돈이 온다고 하여 직접 돈이 하늘에서 비처럼 막 쏟아지는 것이 아니라, 돈이 어떤 방점을 향해 다가오는 것인데, 그 방점은 바로 여러분이 어떤 생각(이상)으로 돈을 모으려고 하는지를 보고 온다는 것입니다. 내 생각이 **돈을 벌 목적으로** 방점을 찍어 놓았다면, **어떻게** 돈을 벌 것인지에 대한 방법으로 주식 투자, 부동산 투자, 또는 장사, 사업 등 이런 수단의 생각이 먼저 다가오기 쉬운데, 그보다 먼저 **왜** 돈을 벌려고 하는지에 대한 생각을 구체적이고 명확하게 세우기 바랍니다. "왜" 돈을 버는지에 대한 이유를 종이에 상세히 나열하다 보면, 돈을 벌고자 하는 이유를 명확히 알 수 있습니다.

여기까지가 지금 세상에 나온 기존 『Secret』입니다. 기존 『Secret』은 「목표와 이유」로 구성되어 있고, 형권의 경우를 예로 들어 도식화하면

> 10억 **(목표)** = 고급아파트, 크루즈 여행, 행복, 풍요 **(이유)**

형권이 10억을 갖고 싶은 이유는 넓고 쾌적한 고급아파트, 해외 크루즈 여행, 행복, 풍요, 효도 이런 소망들을 성취하기 위해 10억이란 돈이 목표가 된 것이고, 형권은 마음속에 10억 목표를 정

말 바라고 또 바라고, 글로 쓰고, 큰소리로 외치고, 돈을 벌 수단으로 주식 투자를 선택하고 올인합니다. **그러나,** 결국 10억을 갖겠다는 형권의 목표는 무참히 깨지고 형권은 외로이 자살로 세상을 마감합니다.

기존 『Secret』은 유인력 법칙이 전개하는 창조의 3가지 과정, 즉 우주에 소망을 말하고(ask), 우주는 당신이 바라는 것에 대한 생각, 특히 감정에 반응하고(answer), 그리고 진실로 원하는 것, 당신이 요청한 것에 자신을 맞추고 있으면, 바라는 것을 얻게 된다는 것(receive)이 핵심입니다.

사실 내가 바라는 것에, 즉 되고 싶고, 갖고 싶고, 하고 싶은 것에 내 주의를 온전히 집중할 수만 있다면, 그것을 위한 충분한 돈 또는 바라는 것을 가져다줄 다른 수단들이 내 경험 속으로 들어올 수 있습니다.

> ## 목표에 대한 Image+Feeling = 현실 = 사실

실제로 이런 원하는 목표에 대한 생각의 진동(힘)을 이용하여 자신이 바라는 바를 이루어냅니다. 다만 바라는 바를 성취하기까지 시간이 얼마나 걸리는지는 '바라고 원하는 이미지와 느낌의 강도'에 따라 곧바로 현실이 되기도 하고, 느린 속도로 현실이 되기도 합니다.

여기서 형권이 바라는 목표를 이루지 못한 이유는 무엇일까요? 형권은 기존 『Secret』의 창조 3가지 과정, ask(요청)→answer(응답)→receive(일치)에서 우주에 요청한 것이 돈(10억)이었고, 형권이 원한 이 돈에 대해 우주는 절대 응답하지 않습니다. 왜냐하면, 돈에 느낌이나 감정이 실려 있지 않기 때문입니다. 우주는 바라는 것에 대한 느낌과 감정에 반응합니다. 형권이 바라는 것이 돈인데, 돈에 무슨 느낌과 감정이 있을 리 있나요? 기존 『Secret』에서 목표와 이유의 중요성 비율을 보면 이유가 70%이고, 목표는 30%입니다. 우주는 목표에 대한 이유에 반응하는 것이고, 그 이유가 어떤 느낌과 감정으로 우주에 송출하느냐에 따라, 우주는 그 느낌과 감정에 정확하게 수신하고 교감하는 것입니다.

설사 형권이 원하는 만큼 돈(10억)을 수중에 넣었다 하더라도(또는 부자가 되었다 하더라도) 그 돈은 에너지 흐름이라서 자석처럼 붙어 있게끔 할 수 있는 구심점이 없다면, 그 돈은 돈을 끌어당기는 곳으로 이동하게 됩니다. 다시 강조하면, 유인력 법칙에 의해 바라던 목표가 이루어졌다 하더라도 그 목표를 이루고자 하는 소망이 무엇이냐에 따라 돈의 흐름이 일시적으로 흘러 왔다가 다른 곳으로 갈 수 있고, 눈덩이처럼 계속 많은 돈을 흘러보내야 할 수도 있다는 뜻입니다. 더 정확히 표현하면, 목표를 이루고자 하는 소망이 누구를 위해서 나온 것인지에 따라, 돈(Energy)의 흐름을 좌지우지한다는 말입니다.

예를 들어 형권의 10억 목표에 대한 이유로 고급아파트, 크루즈 여행, 행복, 풍요 등 이런 소망들은 **누구를 위한** 것인지 깊게 들여다볼 필요가 있습니다. 사실 형권은 나 자신과 가족을 위해서 물질(돈)을 원한 것인데, 이런 목표는 돈을 끌어당기는 힘이 약해서 설사 소원이 이루어졌다 하더라도 지속성을 가질 수 없습니다. 이미 소원이 이루어졌는데, 거기에 계속 무한정 돈을 줄 수도 없거니와 주었던 돈 역시 붙어 있을 원인이 사라져 버려 이제 그 돈을 사용하거나 남한테 뺏길 일만 남아 있는 셈이죠.

만약 형권이 10억을 가지고 자신과 가족의 행복을 위해 돈을 사용하는 것이 아니라, 그 돈을 가지고 사회에 기여할 일, 사회 모순을 해결하는 일, 어떤 제품이나 무형의 콘텐츠를 세상에 내어놓아 사람들을 이롭게 하고 편리하게 하는 것이 무엇이 있을까에 대한 생각과 노력을 진실로 했다면, 에너지의 흐름은 분명 똑같이 개인의 행복을 위해 10억을 바라는 것과 같이 흘러들어 온다 하더라도, 그 흐름은 다른 유형의 흐름임이 분명합니다.

돈의 사용이 나만의 행복이 아닌 사회, 소외당하는 사람, 인류를 위해 있다면, 우주는 어떤 방법으로든 **필요한 만큼** 형권에게 반드시 부를 주게 됩니다. 주는 방법은 우리 인간의 영역이 아닌 신의 영역이고, 우주는 우리로 하여금 목표를 이루는데 방법을 고민하지 말고, 목표와 이상에 대한 연구와 노력을 진실로 하였는지를 묻습니다. 목표와 이상이 널리 세상을 이롭게 하는 것인데, 어떻게 이 목표와 이상이 실현되도록 사람을 통해서든, 신을 통해서든 도와주지 않겠습니까? 이것이 바로 「막혀버린 Secret」로 풀어본 비밀의 문 요체입니다.

목표와 이상 = 인류번영을 위한 것 = 보람된 일

세상에는 대통령, 목사, 의사, 판사, 디자이너, 성악가, 건축가, 발명가, 공무원 등 이루 말할 수 없이 많은 직업이 존재합니다. 우리는 어릴 때 누구나 어떤 사람이 되어, 무엇을 하겠다는 꿈을 가집니다.

■ 나는 불쌍한 사람을 보면 그냥 지나치지 못하겠어. 나중에 커서 대통령이 되면, 불쌍한 사람들이 세상에서 고통받지 않게 훌륭한 일을 많이 할 거야!

■ 나는 나중에 커서 혼돈의 세상에 하나님의 목회자가 되어, 세상 사람들에게 마음의 평안을 주는 한 줄기 빛과 같은 하나님의 말씀을 전파할 거야!

■ 나는 아픈 사람을 보면 그냥 지나치지 못하겠어. 나중에 기서 의사가 되어, **아픈 사람을 정성껏 치료해 주고, 다시는 병에 고통받지 않게 해 줄 거야!**

■ 나는 정의롭지 못한 일을 보면 분개해서 어찌할 바를 몰라. 커서 경찰관이 되어, **약한 사람을 괴롭히는 사람들을 잡아 사회정의를 실현할 거야!**

■ 나는 옷을 보며 종이에 스케치를 하고 만드는 것을 좋아해. 커서 디자이너가 되어, **사람들이 입으면 기분이 좋아지고, 자신감이 넘치고 편하면서 우아한 옷을 디자인할 거야!**

■ 나는 나무를 가지고 강아지 집을 만들어 주고, 동생에게 멋진 의자도 만들어 주는 것을 좋아해. 커서 건축가가 되어, **사람들이 안락하고 쾌적하게 생활을 할 수 있도록 세상 최고의 집을 건축할 거야!**

우리는 사회에 나오기 전 어릴 때부터 꿈을 가지고 각자 소질을 키워 나갑니다. 어릴 때 꿈은 **굵은 고딕 글씨**와 같이 대통령이 되어 불쌍한 사람들이 세상에서 고통받지 않게 훌륭한 일을 하고, 목사가 되어 세상 사람들에게 마음의 평안을 주는 설교를 하고, 의사가 되어 아픈 사람을 정성껏 치료하고 다시는 아픈 사람이 병에 시달리지 않게 고쳐주고, 경찰관이 되어 약한 사람을 괴롭

히는 사람을 잡아 사회정의를 세우고 등, 이렇게 목표와 이상이 개인의 이익 추구가 아니라 불쌍한 사람들, 사회, 인류를 위해 정의를 추구하고, 구원을 주며, 아픈 사람을 낫게 해 주는 일을 하겠다는 강렬한 소명의식이 있습니다.

어릴 때의 **목표와 이상**이 왜 커가면서 점점 퇴색되어 사라져가는 것일까요? 가난한 환경 속에서 열심히 공부하여 OOO가 되면 다시는 자기처럼 굶주리면서 공부하는 학생들이 없도록 하겠다는 웅대한 이상이, 먹고살 만한 위치에 도달하면 개인과 가족의 행복으로 범위가 축소되어, 돈이 충분히 있더라도 무슨 일을 해야 하는지, 그리고 그 높은 자리에서 어떤 일을 펼쳐야 할지 방향을 잃어버린 채 헤매는 우리의 현실이 안타깝기 그지없습니다.

• 우주는 우리가 이 세상에 태어나서 각자의 재능과 소질을 가지고

1. 인류번영과 사회발전에 어떠한 일을 하고자 하는 가에 따라 (소명의식 = ask),

2. 우주는 그 소명의식에 수신하고 반응하며 (answer),

3. 그 소명의식을 이행할 수 있게끔 수단과 도구들, 예컨대 직업, 사람, 돈, 지식 등을 우리가 전혀 알 수 없는 방법을 통해 반드시 보내 줍니다. (receive)

의 지

그러한 것들은 결코 없다네.

굳건한 정신이 확고히 결심했을 때,

이를 눌러 앉히거나 물러서게 할 수 있는 우연, 불운, 운명 따위
는 말이야.

재능은 대단한 것이 아니지.

의지만이 홀로 위대하다네.

모든 것들은 조만간 그것에게 길을 비켜 주는 법이니까.

무엇이 바다를 찾아가는 저 강의 거대한 힘을 막을 수 있겠나?

또 무엇이 저 솟아오르는 해를 멈추게 할 수 있겠나?

위대한 정신은 마침내 자기의 목적을 이루는 법이라네.

어리석은 자들은 행운을 말하지. 하지만 **진짜 행운아란,**

자기의 소중한 목적에서 한 치도 벗어나지 않는 자라네.

그는 사소한 행동, 잠시의 휴식조차 위대한 목표를 향해 돌려놓
는다네.

왜일까?

심지어 죽음의 사자(使者)마저 때로는 다소곳이 서서,

의지를 향해 시간을 늦추는 것은?

- Ella Wheeler Wilcox -

19.
「생각의 밑그림」으로 풀어본
비밀의 문

■ 생각의 밑그림을 바꾸고 키워라.

　사실 생각은 과거의 경험과 지식이 한정된 그릇 안에 수십 년간 쌓이고 쌓여 압축되어 있습니다. 예컨대, 찌개를 끓일 때 두부, 파, 된장, 소금, 양파, 마늘 등 다양한 재료를 넣고 팔팔 끓여 재료들의 성분들이 용해되어 마지막에는 맛있는 국이 드디어 식탁에 올라오듯, 사람의 생각은 태어날 때부터 지금까지 성장해 오면서 수많은 경험과 습득한 지식 그리고 순간순간 생각의 파편들이 두뇌 기억 속에 차곡차곡 붙어 있는 것과 같습니다.

　사람은 각자 자기 그릇의 크기와 용도를 가지고 세상에 나옵니다. 사람이 가지고 있는 이 그릇은 어떤 외부의 충격으로 깨지기도 하고, 내부의 깨달음에 의해 깨지기도 합니다. 물질 세상에 있는 그릇은 충격에 의해 깨지면 원상회복이 안 되지만, 비물질 세상에 있는 이 그릇은 선각자의 말이나 글을 통해 아상(我想)이 깨져, 그릇의 크기를 키워나가거나 그릇의 형태를 바꾸기도 합니다. 또한, 비물질 세상에 있는 그릇은 선각자의 가르침에 의해 깨닫기도 하지만, 수행을 통해 스스로 내부에서 깨달음을 얻기도 합니다. 이 깨달음을 통해 참된 공부를 하여 그릇의 크기를 키우고 변형할 수도 있습니다.

현실에서 우리는 된장찌개를 끓이고자 할 때, 각자의 입맛에 맞게끔 재료를 선택하고 양을 결정하고, 조리시간도 각자의 취향에 따라 맞추어서 조리를 합니다. 그러나 비물질 세상에 있는 생각의 그릇은 우리의 입맛대로 넣을 수가 없습니다. 우리는 생각의 그릇에 즐거운 일, 기쁜 일, 행복했던 일, 과학 지식, 이런 것들로만 채워 넣으면 좋겠다고 생각을 하지만, 음식을 만들 때 설탕만 넣겠다는 말과 똑같은 말입니다. 물질 세상에서 만드는 음식 역시 설탕, 소금, 간장, 파, 양파, 마늘 등 다양한 맛을 내는 여러 가지 재료를 집어넣듯, 생각의 그릇에 담길 재료 역시 기쁘고 즐거운 추억과 사건들로만 채워나간다면, 영혼을 올바르게 살찌울 수 없는 법입니다.

이렇게 생각의 그릇에 담길 재료는 우리 마음대로 골라잡아 넣을 수 있는 것이 아니라는 것을 인식해야 합니다. 또 하나 알아

두어야 할 것은 생각 재료들은 물질 세상에서 환경을 통해 주어진다는 것입니다. 우리가 현재 처한 환경, 특히 만나고 대화하는 사람들을 통해 들어오는데, 우리는 이런 재료들을 생각의 잣대를 통해 선별하고 색깔을 입혀 그릇 안으로 집어 들입니다. 우리가 사실을 왜곡하여 받아들이는 이유는 바로 우리 스스로 생각의 잣대를 사실에 들이대고 재해석하는 과정을 거치기 때문입니다. 예컨대 우리는 눈을 통해 장미꽃을 바라봅니다. 눈을 통해 망막에 맺힌 장미꽃이란 이미지를 보며 우리는 "아름답다, 예쁘다, 빨간 장미꽃인데 시들어가네." 이런 해석을 덧붙여 놓습니다. 즉, 우리는 현실에 있는 장미꽃을 재창조하여 또 하나의 장미꽃을 머릿속에 만들어 놓는 결과를 일으킵니다.

우리가 사물을 있는 그대로 받아들인다는 것은 어떤 생각의 일으킴이 없이 액면 그대로 받아들인다는 말과 같습니다. 설사 남이 우리에게 욕을 한다고 하여도, 그 욕에 대해 대응하는 생각을 일으키지 말고, 욕을 그대로 받아들이기 바랍니다. 내 안으로 받아들여야만 우리는 자신을 돌아보는 기회가 생기고 원인에 대한 깊은 공부를 하게 됩니다. 욕을 들을 만한 원인을 찾았다면 앞으로 어떻게 처신해야 할지에 대한 답을 스스로 찾게 될 것이고, 그때 비로소 생각의 그릇 크기는 키워지고 변형하는 것입니다. 우리가 사회를 보면서 불평·불만하지 않고 남을 비난해서는 안 되는 근본적인 이유는 우리 생각의 그릇을 키워주고 형성시켜 줄 목적으로 다가온 환경을, 나 스스로 불평·불만하고 이런 환경을 준 대상을 보며 비난하는 행위를 하면 할수록, 우리 생각의 그릇을 키워줄 재료들을 멀리 밀어내고 막아버리는 결과를 낳기 때문입니다. 우리에게 주어진 어떤 환경일지라도 그 환경을 통해 자신을 스스로 다잡아 간다면, 우리 생각의 그릇은 저절로 커지고 변형해 이웃과 사회, 그리고 인류에 공헌할 생각들이 쏟아져 나오는 법입니다.

부자가 되지 못하는 원리도 같습니다. 부자는 물질 세상에서 보여 주는 결과물일 뿐입니다. 어떤 생각으로 사회에서 무슨 일을 하느냐에 따라 돈의 흐름이 몰리기도 하고, 다른 곳으로 흘러가기도 합니다. 생각을 이루는 밑그림이 어릴 때 가정형편이 안 좋아 경제 문제로 부모님의 잦은 싸움과 이혼, 그리고 돈이 없어 치료를 못 받아 세상을 떠난 엄마, 돈이 없어 사회에서 무시당하고 끼니를 거르던 옛날 안 좋은 추억들, 이런 것들이 생각의 기억 파편에 잔재해 있다면, 절대로 당신은 부자가 될 수 없습니다. 이유는 생각의 그릇 안에 담겨 있는 돈에 대한 기억들이 안 좋은 경험들로만 가득한데, 이런 바탕 위에 일으킨 생각을 보고 비물질 세상에 있는 에너지의 흐름이 물질 세상에서 돈으로 현출되어 당신에게 흘러간다는 것은 이치에 맞지 않기 때문입니다. 부자가 되려면 먼저 생각을 이루는 바탕을 바꾸고 키워야 합니다. 이제라도 돈의 힘에 대해 존경심을 품으세요. 돈이 있어야 가난한 사람들을 도울 수 있는 힘이 생기고 끼니를 거르는 불우한 이웃을 도와줄 수 있는 힘이 생기고, 회사를 설립하여 제품을 생산할 수 있는 기반이 되는 것이고, 내가 꿈꾸어 온 이상을 펼칠 수 있는 힘이 되어 줄 수 있는 고마운 존재라고 생각하세요. 돈은 사람을 사람답지 않게 만드는 도구이고, 추악하며 사악하고 비열한 것이라고 절대 생각하지 마십시오.

이제 돈의 힘에 대해 존경심을 가진다면, 신은 우리를 부자의 길로 올려놓습니다. 그리고 부자가 되기 위한 여러 가지 도움을 주는데, 구체적으로 부자로서 갖추어야 할 기본적인 능력을 갖추게 하기 위해 우리에게 여러 가지 환경을 줍니다. 이런 환경, 저런 환경, 이렇게 환경을 통해 그릇을 키워주는 단계로 넘어가는 것이고, 주어진 환경은 사람을 통해 필요한 지식과 돈을 전달해 줍니다. 예컨대, 식당을 통해 부자가 되고 싶은 사람이 있습니다. 식당은 부자가 되기 위한 도구의 하나일 뿐이고, 식당에 찾아오는 사람을 통해 부자가 되는 법칙을 보내 줍니다. 식당에 오는 손님한 명 한 명은 부자 되는 법칙을 알려 주는 교과서들입니다. 오는 손님들을 대상으로 어떻게 하면 기쁘고 즐거운 일을 선사해 줄 수 있을 것인가에 대한 연구를 거듭하다 보면, 이런 연구가 쌓이고 쌓여 어느 순간 새로운 것을 창출하게 됩니다. 이런 과정을 통해 부자는 어느 순간 되어 있는 것입니다.

- 사과나무에 사과를 주렁주렁 열리게 하는 것은 땅 밑에 있는 보이지 않는 뿌리일지니, 보이지 않는 것이 보이는 것을 생산해 낸다는 말을 명심하라.
- 바라는 목표에 감사하고 유쾌한 느낌을 실어 보내라. 그 느낌이야말로 생각의 밑그림이 될 것이다.
- 인생의 창고를 머릿속에 미리 지어놓은 사람은 창고보다 더 큰 꿈을 담을 수 없다.
- 성공의 비결은 고통과 즐거움에 말려드는 것이 아니라, 고통과 즐거움을 활용하는 법을 배우는 것이다.

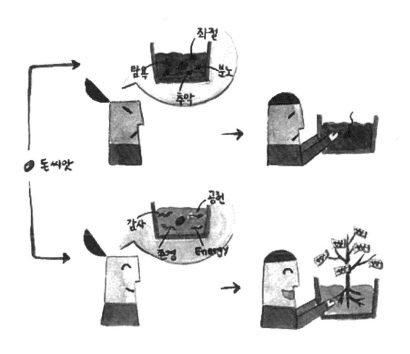

 돈 씨앗이 돈 나무로 성장하기까지 토양인 돈에 대한 기본 생각이 '탐욕', '좌절', '추악', '분노'로 점철되어 있는 것이 아니라, '감사', '공헌', '존경', 'Energy'로 채워져 있어야만 돈의 과실을 딸 수 있습니다.

20.
「죽이고 싶은 당신」으로 풀어본
비밀의 문

✎ 상황

은혜는 어린 딸을 둔 직장여성이다. 남편 두치는 L 대기업 과장으로 남들이 보기엔 아무 이상이 없는 부부였다. 그러나 연애할 때 가볍게 생각했던 남편의 온라인 게임 정도가 심심풀이에서 중독에까지 이르러, 현재는 부부가 서로 대화가 없고, 같이 살아도 사실상 별거 상태이다. 물리적 공간은 함께 존재하나 심리적 공간은 다른 곳에서 서로 사는 것이다.

은혜는 남편의 게임 중독을 없애기 위해 나름대로 부부싸움도 많이 했고, 이혼 이야기가 수시로 올라갔으나, 그때마다 어린 딸 앞날, 그리고 주변 가족들 만류에 이혼 결심이 실행으로 옮기기 전에 좌절되곤 했다.

그날은 아이가 아픈 상태에서 어린이집을 보냈고, 직장 일 역시 상사와의 마찰로 일이 잘 풀리지 않은 상황이었다. 녹초가 되어 어린 딸을 어린이집에서 데리고 와 보니, 남편이 그날 휴가였는지 작은 방에서 게임을 하고 있었다. 은혜는 순간 쌓인 감정이 폭발을 하였고, 말다툼 과정 중에 부엌에 있는 칼을 들고나와 남편 가슴 부위를 자신도 모르게 찔러 버렸다. 다행히 남편은 생명은 건졌으나, 은혜는 살인미수죄로 징역 5년을 선고받고 교도소에서 복역 중에 있다.

은혜는 교도소에서 혼자 중얼거렸다. "나름 남부럽지 않게 살아왔는데, 왜 내가 저런 인간 말종을 만나 이 고생을 하는 것일까?"

✎ 이치

우리의 목표는 하나로 결합하는 것이 아니라, 서로를
인식하고, 서로를 통찰하며, 상대를 있는 그대로 존중하는 법
을 배우는 것이다.

– 헤르만 헤세 –

몇 년 전에 MBTI 일반강사 자격증을 딴 적이 있습니다. 추운 겨울날 제가 살고 있던 곳에서 2시간가량 차량 이동을 해서 강의를 들었는데, 인상 깊게 제 마음속에 새겨져 있는 것이 있습니다. 수강생들을 16가지 유형별 성격대로 무리를 지어 모아 두고, 어떤 이국적인 멋진 풍경화를 보여 주면서 그 그림에 대한 감상을 종이에 써서 제출하도록 한 후, 유형별 성격대로 풍경화에 대한 어떤

감상을 하였는지 보았습니다.

저는 그 풍경화를 보면서, "왠지 모르게 아프다. 나무가 아파 보인다." 이런 감상을 하였는데, 다른 반대 성격을 가진 분들의 감상은 "큰 나무가 3개 있고, 산에 흰 눈이 쌓여 있고, 호수에 돛단배가 7척 떠 있고, 강아지 3마리가 보인다." 등, 이런 사실적 묘사를 하더군요.

사람이나 사물 등의 대상을 인식하고 지각하는 방식에서 감각과 직관 중 어느 쪽을 주로 더 사용하는지에 따라, 감각형인 사람들은 일반적으로 다섯 감각(시각, 후각, 촉각, 청각, 미각)에 의존하고, 현재에 집중하는 경향이 있습니다. 이런 분들은 실재적인 것을 중시하며, 사건을 사실적으로 묘사하는 경향이 있고, 세심한 관찰 능력이 뛰어납니다.

반면, 직관형인 사람들은 상상력이 풍부하고 창조적이며, 보이는 것 그대로를 보기보다는 육감에 의존하려 합니다. 나무보다는 숲을 보려는 경향이 있고, 느낌을 중요시하며, 사물의 이면을 간파하는 경향이 있습니다.

이상하게도 연애할 때는 반대 성향을 가진 사람이 끌립니다. 상대방이 내가 보지 못하는 것을 보기 때문에 그 점이 장점으로 부각되어 매력으로 작용합니다. 그러나 결혼을 하면 집안 대소사, 육아 등 사소한 일부터 큰일까지 부부가 힘을 모아 해결해야 할 것들이 수시로 발생하고, 이를 잘 해결하지 못하면 반대 성향을 가진 상대방의 의견은 무시되거나 큰 싸움으로 번지게 됩니다.

은혜 역시 남편 두치와 연애할 때는 행복하고 즐거웠습니다. 연애할 때는 상대방이 맞추어 주기 때문에 서로 의논할 일이 있다 손 치더라도 문제가 생기지 않습니다. 두치가 온라임 게임에 중독되어 가정생활을 소홀히 하게 된 이유가 오직 두치에게만 있을까요? 그렇지 않습니다. 두치가 온라인 게임에 중독된 이유는 뭔가 채워지지 않는 공간을 온라인 게임이 차지하고 있는 것일 뿐이지, 그 공간을 채워주는 대상은 게임이 아니라 그 어떤 것도 올 수 있습니다. 예를 들어 여자일 수도 있고, 골프일 수도 있고, 도박일 수도 있다는 말이지요. 남편 두치는 가정생활이 재미가 없었기 때문에 그 재미를 찾기 위해서 온라인 게임을 선택한 것뿐입니다.

부부가 재미가 있으려면 대화가 우선되어야 합니다. 대화가 되려면, 상대방이 사물과 현상을 바라볼 때의 눈(View)이 다르다는 것, 차이가 있음을 서로 인정해야 합니다. 이건 우리 부모님들이 흔히 주위에 하던 말 "지금은 포기하고 살아요."라는 말 이면에는 상대방의 생각이 워낙 자신과 달라 말을 해 보았자 조율이 안되기 때문에 건강을 위해서라도 포기 또는 무시하고 산다는 것과 분명 다릅니다.

'바라보는 눈이 서로 다르다는 것을 안다.'는 것을 우리 스스로 인정한다는 것과 그냥 단순히 말이 안 통하기 때문에 상대방을 무시하고 포기한다는 것과는 하늘과 땅만큼 차이가 있습니다. 후자는 더 이상 상대방과의 관계를 개선 또는 유지하려는 마음이 없지만, 전자는 차이가 있음을 인정하기에 여기서 다시 조율할 수도 있고, 똑같이 외부 사물과 현상을 바라보고 다른 이야기를 왜 하는지에 대한 이유를 분명히 알고 있기 때문에 서로 의논을 할 수 있는 환경이 조성되어집니다.

눈을 한번 감아 보세요. 누군가 자신에게 어떤 멋진 그림을 말로 설명을 해 줍니다. 한번 상상으로 그려 보세요. 오감을 주로 이용하는 분은 보이는 대로 그림을 설명해 주고, 그림을 보자마자 어떤 느낌이 떠오르는 분은 그 느낌 그대로 설명을 해 줄 겁니다. 단순히 보이는 대로 설명해 준 그림을 눈을 감고 상상하는 것보다, 그림에 대한 느낌까지 실어 그림을 상상하게 되면, 멋진 공감각적인 그림이 되지 않을까요?

이제 서로 다른 존재임을 알았다면, 우리는 상대방에게 배우기 위해 먼저 겸손해야 합니다. 이 세상 누구도, 심지어 자기 아이조차도 자신이 아닌 다른 사람의 말을 듣기 위해서 여기 이 지구에 온 사람은 없습니다. 나 자신이 아닌 다른 사람을 내 마음대로 조종하려는 생각은 곧 욕심이며, 그 욕심으로 말미암아 부부관계는 악화되기 일쑤입니다.

사물과 현상을 바라보는 눈이 다르고 생각하는 것이 다른데 어떻게 나의 기준을 가지고 그 사람에게 나에게 맞추라고 강요를 한다는 말인가요? 오히려 다른 생각을 하는 상대방의 의견을 충분히 경청하고 곱씹고 배울 점이 있는지 그런 겸손한 자세로 상대방 의견을 접해야 합니다.

남편 두치의 온라인 게임 중독은 가정에서 행복을 느끼지 못했던 두치의 유일한 출구였고, 은혜는 두치의 그런 사정을 도외시한 채 오직 보이는 결과물인 두치의 게임 중독만을 탓한 꼴이 되었으며, 다투는 과정 중에 순간순간 쌓인 감정의 폭발로 인해 자기 자신도 모르게 은혜는 극단적인 칼부림까지 하게 됩니다. 은혜가 만약 남편 두치가 어떤 것을 원하는지, 어떤 것을 바라고 있는지에 대한 진지한 고민을 자기 자신의 눈으로 바라보지 않고, **남편의 눈으로** 바라보았다면 부부관계가 어떻게 되었을까요?

실제로 부부관계를 지속하는 유일한 방법은 사랑을 받는 게 아니라 '주는' 입장이 되는 것입니다. 사랑을 주는 것은 **상대방의 관점에서 이루어져야만** 집착이 아닌 진정한 사랑을 주는 것입니다. 또한, 자신이 옳다고 생각하는 것을 상대방에게 주입하는 것보다 서로를 사랑하는 것에 초점을 맞추시기 바랍니다. 옳고 그름을 따지고 있다는 느낌이 들면 당장 그런 태도를 버리고 논쟁을 멈추세요.

부부(夫婦)

결혼식 때 인품이 고매하신 주례 선생님이 "이제부터 두 사람은 부부가 되었다."는 말씀은 새빨간 거짓말입니다. 절대 믿지 마세요.

서로 다른 환경에서 자라 온 선남선녀가 인연에 의해 만나서 친척과 많은 하객 앞에서 부부라고 선언한다 하여, 부부가 되는 것이 아닙니다. 단지 부부라 칭할 뿐입니다.

부부는 기나긴 세월 동안 **상대방이 어떤 사람인지 알아가고, 부족한 부분이 있다 하더라도 이해해 주고 인정해주는 노력이 있어야만** 진실로 부부라 하는 것입니다.

'부부 일심동체'라는 말은 막 결혼한 부부를 두고 하는 말이 아닙니다.

'부부 일심동체'라는 말은 결혼 후 인고의 세월을 지내면서 상대방을 위해 서로 노력하고 아껴주며, 고통과 기쁨을 나누는 과정을 거쳐 이제 비로소 서로의 눈빛만 봐도 상대방이 어떤 것을 원하는지를 아는 단계까지 갔을 때, 이를 두고 우리는 '부부 일심동체'라 합니다.

연애할 때 남녀가 만나는 것은 단지 **서로의 감정이 좋아서** 만나는 것입니다. 이 감정을 '사랑'이라고 말한다면 착각입니다. 그 감정은 결혼하여 기나긴 세월 동안 변화무쌍한 변화에 한결같이 그 감정을 유지할 리 없기에, 우리는 흔히 '사랑이 식었다.', '남편이

변했다.' 이런 말들을 쏟아냅니다.

'사랑'은 남녀가 결혼한 후에 상대방을 진실로 아는 노력, 즉 상
대방의 부족하고 못마땅한 부분까지 이해하고 인정할 줄 아는 노
력을 한 사람만이 그 노력의 과정 중에 '사랑'이라는 배경음악이
자연스럽게 흐르는 것입니다.

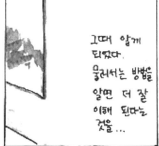

** 조르주 쇠라[2]

우리는 상대방의 그 잘못된 '점'때문에 상대방의 마음을 제대로 헤아리지 못하고 그 '점'만 크게 확대해 보는 경우가 허다합니다. 조금만 뒤로 물러날수록 그 '점'들이 차츰 어떤 형상을 드러내고, 예를 들면 상대방이 사과하려고 악수하는 모습이 서서히 형태를 드러낼 것입니다.

---

2) 조르주 쇠라(Georges Seurat, 1859~1891)또렷하지 않은 표정과 부자연스러운 움직임으로 나타나는 어떤 화가도 시도한 적 없는 수백만 개의 점. 그 점이 좋았던 단 하나는 바로 '빛'.
조르주 쇠라의 그림은 신인상파 그림 중 가장 화사한 빛을 담고 있다. 32세의 짧은 생을 살았지만 무수한 점을 찍어 그림을 그리는 점묘법을 만들어 낸 조르주 쇠라는 새로운 예술 방식으로 미술계에 빛을 주었다.

21.
「가출한 아내」로 풀어본
비밀의 문

✎ 상황

머리가 멍해졌다.

머리 위에 큰 바위가 나를 짓누르고 있었다.

"도대체 뭐가 문제일까?"

현실은 도무지 나에게 조금도 우호적이지 않아 보였다.

현실은 나로 하여금 패배자임을 인정하라고 몰고 가는 듯 보였다.

왜 이렇게 자꾸 꼬여만 가고 있는 걸까?

어디서 들은 적이 있는 '나쁜 일은 계속 나쁜 일을 꼬리를 물고

불러온다.'는 머피의 법칙이 떠올랐다.

내 가족만큼은 '행복'이란 울타리 안에서 살게끔 해 주고 싶었는데,

어쩌다가 이렇게 꼬여만 가고 있는 것일까?

"야 이 새끼야, 니가 나한테 해 준 게 뭐가 있어!"

"밥 따박따박 먹여주고 하니까, 내가 니 강아지로 보이냐!"

"세상 어느 누구한테 물어봐라. 너랑 누가 살 수 있는지, 가만

두면 어련히 내가 알아서 할까, 그 새를 못 참고 쉴새 없이 잔소리를 해대니 누가 살 수 있는지 물어보라고!"

나는 소리치며 분노하는 아내 두 팔을 양손으로 꽉 잡고 흥분을 가려 앉히려 했다. 그럴수록 아내는 내 손아귀에서 벗어나려고 아등바등 쳤고, 내 엄지손가락은 아내의 우악스러운 힘에 눌려 손가락이 뒤로 젖혀질 정도였다.

아내와 나는 나이 차이만 8살이다. 어린 아내는 나 하나만 바라보고 친정의 온갖 반대를 무릅쓰고 내게 시집을 왔다. 그런데 아내가 결혼 9년 만에 폭발하면서 대든 것이다.

싸움의 발단은 너무나 단순한 사건으로 생겼다. 그날따라 왜 이리 덥고 습한지, 가만히만 있어도 땀방울이 줄줄 흘러내리는 무더운 날이었다. 나는 아내에게 단지 철 지난 옷가지들을 정리하라는 말을 퉁명스럽게 했을 뿐이고, 그 말투에 아내는 발끈했다.

아내로부터 쌍욕을 들은 나는 참을 수 없어, 아내 몸을 확 밀치고, 아이들이 보고 있는 앞에서 아내의 팔을 움켜잡고 있는 힘껏 힘을 주었다. 아내는 벗어나려고 몸부림을 쳤고, 그 와중에 손톱으로 내 목에 긴 혈흔 자국을 냈다.

그리고 그날 아내는… 가출했다.

나는 울고 있는 아이들을 데리고 공원에 바람을 쐬러 나갔다.

풀이 죽은 아들이 내게 물었다.

"아빠, 왜 참지 않고, 엄마한테 그랬어요."

"아빠 목에 상처가 길게 났어요."

밤늦게부터 장맛비가 내렸다.

새벽녘 잠든 아이들을 보면서, 나는 조용히 집 근처 모래 운동장에 신발을 벗고, 맨발로 척척한 운동장을 걸었다.

고운 모래 알갱이들이 내 발밑에 깨알같이 밟히면서, 큰 바위로 눌려 있던 머리 안에 잠시나마 쉴 공간을 열어 주었다.

"가장 가까이에 있는 내 아내마저도 남편인 나를 존경하지 않고 쌍욕을 하는 마당에, 내가 여태껏 배워온 지식과 경험이 무슨 소용이라는 말인가?"

✎ 이치

그대는 부르고 나는 대답하고 그대는 소망하고 나는
실현하네.
그대는 밤, 나는 낮. 이것으로 완전하고 충분한 것.
그대와 나, 또 무엇이 있을까?

— D.H. 로렌스

사실 피 한 방울 안 섞인 남녀가 부부의 연을 맺어 가족으로 탄생되기까지 얼마나 많은 기쁨과 슬픔의 언덕을 올랐다가 내렸다가를 무한 반복했겠습니까? 부부관계는 상하관계가 아니라, 수평관계입니다. 남편이 설령 판단능력이 떨어진 아내에게 명령이나 지시 형태로 말을 하면, 그건 부부라 할 수 없습니다. 말만 부부이지, 사실은 돌봄이 필요한 훈련생 또는 한 수 아래인 아랫사람일 뿐입니다. 부부는 상대방의 부족한 점을 이해하고 인정해 줄 때, 그리고 서로 부족한 부분을 보완하며 상대방을 존중하는 노력을 해 나갈 때만이 비로소 같은 선상에서 서로를 바라보며 이야기하는 것입니다. 우리는 '행복'을 갖기 위해 또는 찾기 위해 무한정 노력을 합니다. 요즘 말만 가족이지 사실상 한 울타리 안에서만 생활하는 대화가 전혀 없는 남남인 가족이 너무 많습니다. 그래서 하루에 한 번만이라도 식사를 같이하자고 하여 추진된 것이 아이들을 구속하는 꼴이 되어 나중에 아이가 커서 부모에게 이렇게 대듭니다. "아빠!, 제발 더 이상 우리를 구속하지 마세요. 숨이 탁탁 막힌단 말이에요." 자식의 이런 말에 부모 마음은 깊은 상처를 입고 가족과 식사를 통해 행복을 찾고자 했던 그런 목적이 갑자기 허무해지기까지 합니다. '가족과의 식사를 통한 행복 찾기'는 구속이 되어 자식으로 하여금 자유를 울부짖도록 만든 것입니다. 부부관계도 마찬가지입니다. 아내가 남편에게 하는 잔소리, 반대로 하는 간섭 모두 구속의 사슬입니다. 아내에게, 남편에게 **자유**를 주세요. 배우자의 부족한 부분을 이해하고, 인정하고, 존중하는 밑바탕에는 자유로움이 먼저 깔려 있습니다. 이 자유로움 위에 상대방과의 차이를 인정하고 조율하는 과정, 이런 과정의 무한 반복을 통해 부부의 성격이 서로 맞추어지고, 닮아가는 것입니다.

옛날 깊은 산속 암자에서 성불 수행하는 스님이 달빛이 훤히 비치는 밤에 우물가에 홀로 앉아 숫돌에 식칼을 갈고 있었습니다. 주지 스님이 그 모습을 보고 "지금 그대가 숫돌에 식칼을 갈고 있는 이유가 무엇이냐?"

수행 스님이 말합니다.

"저는 숫돌에 이 식칼을 갈아 예리한 칼날을 만들어 내듯, 숫돌에 제 마음을 갈고 갈아 무념무상의 경지에 이르고자 수행 중입니다."

이 말을 들은 주지 스님은 웃으면서,

"너의 마음을 숫돌에 아무리 갈아 본들 그 마음이 무념무상의 경지에 이르는 것이 아니라, 너의 마음을 덮고 있는 한 꺼풀의 먼지만 걷어 내면 너의 참된 마음이 빛을 내면서 본 모습을 드러낼 것이다."

우리는 행복, 부, 기쁨, 사랑, 풍요로움을 쫓기 위해 온갖 수단과 빙법을 동원하여 그 뒤를 따라가지만, 우리는 이 가치들을 절대 붙잡을 수 없습니다. 왜냐하면, 우리 스스로 이런 가치들을 가지고 있음에도 가지고 있다고 생각지 아니하고, 밖에서만 그 가치들을 찾아 헤매기 때문입니다. 다시 말해 '없다', '부족하다'를 생각하며 밖에서 찾으려고 하는 사람은 같은 성질의 물질을 끌어당기는 유인력 법칙이나 같은 주파수 대역에 있어야만 서로 교신할 수 있다는 주파수 법칙에 위배되기 때문에, 결단코 '없다', '부족하다'를 해결할 길이 없습니다. 진리의 문 역시 우리가 아무리 밖에서 두드리면서 열려고 미는 노력을 해도 그 문은 절대 열리지 않습니다. "두드려라, 그럼 열릴 것이다."에서 문은 밖에서 안으로 밀어야 열리는 문이 아니라, **안에서 저절로 열리는 문**입니다. 욕망으로 가득한 손을 놓기만 하면 저절로 안에서 열리는 문입니다.

부부라 할지라도 상대방을 내 마음대로 어떻게 해 보겠다는 욕심, 내 방식대로만 끌고 가겠다는 아집을 버리고 가만히 지켜만 보세요. 비록 상대방이 더디고 서툴러도, 참지 못하여 화가 나고 스트레스받은 당사자는 나 자신이기에 나부터 인내하는 법, 기다리는 법을 이 기회에 배우기 바랍니다. 각자의 타고난 성격이 있기 때문에 나의 성격만 상대에게 고집한다는 것은 욕심이고 아집임을 깨닫는 순간 부부관계는 바뀌게 될 것입니다.

끌어당김의 법칙

생각 진동 → 우주 ← 현실화

풍족	부(富)
번영	번영
행복	행복한 일
자유	자유 만끽
건강	건강한 몸
사랑	애인
재미	재미있는 일
유쾌	유쾌한 일
흥미	흥미로운 일
기쁨	기쁜 일
만족	좋아하는 일
감사	감사한 일
풍요	풍요로움
돈이 많다	많은 돈
우정	친구
배려	좋은 인간관계
(+)	(+)

끌어당김의 법칙

여기서 주의할 점은 나 자신이 진정 바라고 원하는 생각의 진동이 **(+)진동으로** 우주에 송출되어야 합니다. 예컨대, 지금 살고 있는 비좁고 더러운 아파트에서 살고 싶지 않다는 생각의 (−)진동과 넓고 쾌적한 아파트에서 안락하게 살고 싶다는 생각의 (+)진동은 어찌 보면 같은 의미 같지만, 진동의 방향은 정반대입니다. 현재 빚에 쪼들리면서 정말이지 힘들게 살고 싶지 않다는 생각의 (−)진동과 풍요롭고 넉넉하게 살고 싶다는 생각의 (+)진동 역시 같은 의미 같지만, 진동의 방향은 정반대입니다. 현재 몸이 아파서 더 이상 몸이 아프지 않았으면 하는 생각의 (−)진동과 건강하고 활기차게 살고 싶다는 생각의 (+)진동 역시 같은 의미 같지만, 전혀 다른 성격의 진동입니다. 곰곰이 살펴보면 우리는 사실 (−)진동인 생각을 입 밖으로 훨씬 더 쉽게 자주 꺼내 왔던 것을 알 수 있습니다.

(+) 진동	(-) 진동
넓고 쾌적한 아파트에서 살 거야	비좁고 더러운 아파트에서 벗어나고 싶어
풍요롭고 넉넉하게 살고 싶어	빚에 쪼들리면서 힘들게 살고 싶지 않아
건강하고 활기차게 생활할 거야	아프면서 살고 싶지 않아
유쾌하고 재미나게 직장생활을 할 거야	지긋지긋한 회사생활에서 벗어나고 싶어
주말에 친구와 여행 갈 거야	주말마다 혼자 있고 싶지 않아

우리가 바라고 원하는 것을 생각하는 진동과 우주로부터 그것을 물질 세상에서 얻는 것은 **언제나 같은 진동일 때에만** 현실화됩니다. (끌어당김의 법칙 = 주파수 원리)

22.
「검찰청에 걸려 있는 "겸손"」으로 풀어본 비밀의 문

✎ 상황

\# 266호 검사실 \#

검사 민서영은 서울대학교 법학과 재학 중 사법시험에 합격하고 25살에 검사로 임용되어 OO검찰청에서 근무한 지 3년 차 된 여성 검사이다. 참여 계장 김을구는 44세로 9급 검찰 수사관으로 검찰에 입사한 지 올해 20년 차 베테랑 수사관이다. 실무관 구소희는 36세로 고등학교를 졸업하자마자 검찰청에 입사하였다.

계장 김을구는 요즘 들어 실무관 구소희에게 검사 민서영의 수사 지시사항에 강한 불만을 토로했다.

"나이도 어린 게 말이야, 알면 얼마나 안다고 사사건건 조사 중에 끼어들기나 하고 열 받아서…."

여느 날과 같이 오늘도 지게차 절도죄로 구속된 피의자를 조사하던 수사관 김을구는 피의자를 상대로 큰소리로 추궁을 했다.

"김OO씨, 길가에 설치된 CCTV 녹화된 거 틀어보니까, 당신이 피해자 지게차를 운전하고 가는데 계속 부인할 거야, 엉!"

그러나 피의자는 계속 부인했다. 수사관과 피의자의 날 선 공방이 격렬하게 오고 가고 있는데, 갑자기 검사 민서영이 끼어들어 말했다.

"계장님, 부인하면 부인한 대로 조사를 해 주세요, 더 이상 추궁하지 마시구요."

이 말을 들은 수사관 김을구는 갑자기 수사의욕을 잃고, 조사 도중 자리를 떠나 2시간째 돌아오지 않았다.

검사 민서영은 수사관 김을구의 수사지시 불이행을 들어 검사 회의에서 부장검사에게 수사관 교체를 해 달라고 요청했고, 부장 검사는 검사의 말만 듣고 수사관 김을구를 검사실이 아닌 관리부서로 자리이동 시켰다.

수사관 김을구는 동료 수사관들과 저녁에 술을 마실 때마다 불평·불만이 그득했다.

"검사실 조사는 내가 거의 다 했는데, 검사와 좀 충돌이 있었다고 검사가 부장검사한테 나를 불성실 직원으로 고자질이나 하고 말이야, 무슨 조직이 이래!"

그 후로 수사관 김을구는 검찰청 조직에 정나미가 떨어졌는지 수사관이 아닌 다른 길을 가고자 남몰래 모색 중에 있다. 수사관 김을구가 떠난 266호 검사실은 또 한 번 내홍에 휩싸였다. 이번에는 검사 민서영과 실무관 구소희가 대판 싸운 것이다.

📎 이치

어느 지방의 한 검찰청 본관에 걸려 있는 현수막입니다.

검사실은 검사, 수사관(참여 계장), 실무관으로 구성되어 있고, 검사는 3급 상당 대우를 해 주는 높은 직위 신분으로 수사관과 실무관을 지휘할 권한이 있습니다. 예전에는 검사와 수사관에 여자 대비 남자가 훨씬 많았지만, 지금은 여검사, 여자수사관이 상당히 많아졌습니다.

266호 검사실에서 누가 처신을 잘못하고 있는 것일까요? 검사는 수사관보다 지위가 월등히 높고, 권한이 크기 때문에 굳이 갑과 을을 따지자면, 검사는 갑의 위치에 있고, 수사관은 을의 위치에 있다 할 것입니다. 높은 지위와 큰 권한이 있는 검사는 지위와 권한이 약한 수사관을 마음대로 부리는 위치에 있다 생각하면 그것은 검사의 인성교육이 덜 되어 있는 것입니다. 검찰청 현관에 걸려 있는 '겸손' 현수막과 같이 여기서 **겸손**은 아래에서 위로 올라가는 것이 아니라, **위에서 아래로 내려가는 것입니다.** 검사는 수사관에게 먼저 '겸손'하게 대해야 합니다. 반대로 수사관이 겸손하게 검사를 대한다는 것은 지위와 권한이 약한 자가 지위와 권한이 강한 자에게 허세를 부리면서 대하는 것으로 이치에 맞지 않습니다. 그러면 검사는 수사관에게 어떻게 대해야 겸손하게 대하는 것일까요? 검사는 수사관의 풍부한 수사경험을 인정하고 수사관의 수사 스타일을 존중해 줄 때 비로소 겸손하게 대하는 것입니다. 검사가 수사관에게 지시할 때에도 위에서 아래로 지위와 권위를 내세워 눌러 찍는 것이 아니라, 수사관의 스타일을 고려하여 지시를 해야 합니다. 이렇게 검사는 수사관을 '겸손'하게 대힌다면, 수사관은 검사의 나이 많고 적음에 관계없이 검사를 '존경'하게 됩니다.

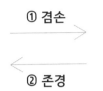

조직에서 나이의 많고 적음이 서열을 가리는 것이 아님은 당연하다 할 것이므로 서열은 '실력'에 따라 정해집니다. 검사는 사법시험이라는 어려운 시험을 합격한 사람으로 아무래도 형사법 관련 실력이 수사관보다는 객관적으로 더 우위에 있을 것입니다. 그러므로 실력이 있는 검사는 실력이 부족한 수사관을 상대로 말을 할 때 상대가 '이해되게끔' 말을 해야 합니다. 나의 지식을 상대방에게 이해시키지 못하면, 그건 바른 실력이 아닙니다. 나의 지식을 상대방에게 이해시키려면, 먼저 상대방에 대해 자세히 아는 과정이 필요합니다. 266호 검사실에서 민서영 검사는 수사관 김을구의 수사경력, 조사 스타일, 성격, 건강상태 등 이런 전반에 대해 잘 알고 있었다면, 수사관을 대할 때 어떻게 지시해야 할지 바르게 알 것입니다. 검사가 아랫사람인 수사관에 대해 제대로 알지도 모른 채, 수사관을 이래라저래라 지시하는 것은 지위만을 앞세운 강압적인 지시와 같습니다. 모름지기 실력이라 함은 상대방이 어떤 사람인지 파악한 후에, 상대방이 이해되게끔 나의 지식을 전달하는 것을 말합니다. 아무리 검찰청에서 '겸손·배려·경청'을 현수막에 써 놓고 국민과 함께 가고 싶어도, 겸손을 모르는 검사가 국민에게 '겸손·배려·경청'을 약속한다는 것은 어불성설입니다.

검찰청 현관에 걸려 있는 '겸손·배려·경청'은 먼저 검찰청 조직 **안에서** 검사 스스로 겸손이 무엇인지 바르게 안 다음 가까이 있는 아랫사람인 수사관, 실무관에게 모범을 보인다면, '겸손·배려·경청'은 국민을 위한 구호로만 끝나는 것이 아니라 자연스럽게 국민과 함께 퍼져 나갈 것이고 이것이 바로 국민이 검찰에 보내는 신뢰임은 분명합니다.

23.
「노래방 도우미의 신세 한탄」으로 풀어본
비밀의 문

✎ 상황

을녀는 두 아이를 가진 과부였다. 남편은 선박회사에 다녔었는데 사고로 3년 전에 세상을 떠났고, 을녀 혼자 어린 두 아이를 키우면서 살아가야 할 신세에 놓였다.

어느 날 그리 친하게 지내지 않던 노래방을 운영하는 친구 놀자한테 한 통의 전화가 걸려 왔다. 놀자는 을녀에게 "집에만 있지 말고 우리 노래방에 한번 놀러 와. 여기 와서 노래도 부르고 잡담도 하고, 스트레스도 풀자." 고 이야기 했고, 을녀 역시 별다른 생각 없이 놀자가 운영하는 노래방에 오후 늦게 놀러 갔다.

반가이 맞이하던 놀자는 을녀에게 가벼운 근황을 물어보더니, "오늘 종업원이 갑자기 일이 생겨서 못 나온다고 하네, 카운터 두 시간만 좀 봐 줄래?"고 부탁을 했다.

을녀는 놀자의 갑작스러운 부탁에 좀 거부감이 있었지만, 그래도 놀러 온 마당에 친구의 부탁을 거절하기 어려워 잠시 노래방 카운터를 봐 주기로 했다.

이렇게 시작한 노래방 출입이 어느 순간 을녀로 하여금 노래방 도우미로까지 전락하게 만들어버렸고, 놀자의 남편인 노래방 사장과 바람까지 나, 친구인 놀자에게 폭행을 당하는 지경까지 이르렀다.

을녀는 놀자를 상대로 상해죄로 형사고소를 하였고, 경찰서에 불려다니면서, 놀자와 대질 조사를 하는 과정이 너무 힘이 들었다. 경찰서에서 고소인(피해자) 조사를 받던 중에, 담당 수사관에게 잠시 화장실을 간다고 말한 후 밖으로 나와 하늘을 올려다보았다.

잿빛 옅은 구름이 낀 하늘에 바람까지 습했다.

을녀는 순간 "아! 내가 왜 여기에 있지, 내가 뭘 잘못 했기에 어디서부터 이렇게 꼬여 버린 것일까!"라는 신세 한탄을 했다.

✍ 이치

자연의 법칙은 같은 성질을 가진 물질은 같은 성질을 가진 물실을 끌어당깁니다. 자연의 법칙은 자석과 달리 같은 성질을 가진 물질끼리는 밀어내는 것이 아니라, 좋은 에너지를 가진 사람은 좋은 에너지를 가진 사람끼리 만나고 어울린다는 것입니다.

그러면 을녀는 좋은 에너지를 가진 사람이 아니었을까요? '에너지가 좋다.'는 말은 곧 '에너지가 넘친다, 활력이 있다.'는 말과 같은 뜻입니다. 을녀는 남편과 사별하고 우울한 인생을 살았고, 이 우울한 에너지는 우울한 환경을 만들고, 이 환경으로부터 안 좋은 에너지를 불러 모으게 됩니다. 사실 남편과 사별하고 우울한 환경이 내게 오는 것은 우주가 이 환경을 통해 나에게 뭔가 가르침을 주기 위한 것입니다. 우울한 환경을 통해 뭔가를 배울 수 있다는 말은 역설적으로 들릴 수 있겠지만, 우리는 아무리 안 좋은 환경이라도 그 환경을 통해 나의 부족함이 무엇인지 알고 착실히 공부해 나간다면, 더 좋은 환경이 내게로 다가오는 것입니다.

여기서 을녀가 친구 놀자의 부탁으로 노래방 카운터 일을 시작으로 노래방 도우미로 전락하기까지 일련의 과정은 한 번에 쭉 이루어진 것이 아닙니다. 을녀가 노래방 도우미로까지 전락하게 된 것은 놀자의 잘못이 아닙니다. 잘못은 을녀 자신이 바른 판단을 하지 못한 결과이겠지요. 을녀는 쉽게 돈을 버는 방법을 선택한 것이고, 쉽게 돈을 버는 만큼 을녀의 생각은 개인적인 욕망을 성취하기 위한 도구로 전락해 버린 것이죠. 나아가 놀자의 남편, 즉 노래방 사장과도 바람을 피우게 된 것이고요. 명심하세요. 나 자신이 노래방 도우미가 된 것은 누구의 잘못도 아니랍니다. 오직 내가 선택한 것이고, 그 선택의 결과를 지금 쓰라리게 맛보고 있는 것이랍니다. 그럼 어떻게 했어야 을녀가 노래방 도우미라는 결정을 하지 않았을까요? 자연의 법칙에는 '선(善)'과 '악(惡)'이란 단어는 존재하지 않습니다. 우리가 흔히 말하는 '저 사람 참 착해'. 이런 단어는 우리 인간 세상에서 남용하는 서술어일 뿐입니다. 자연의 법칙에 '착한' 양, '나쁜' 늑대와 같이 명사를 서술하는 형용사는 없습니다. 오직 '양'과 '늑대'만이 존재합니다. '착한, 나쁜'이라는 형용사는 우리 인간이 만들어 낸 서술 어구에 불과하답니다. 다시 말해 을녀가 친구 놀자를 나쁜 여자라고 비난해서는 안 된다는 것입니다. 오직 노래방 도우미라는 직업을 선택한 을녀만이 결과에 대한 책임을 질 뿐입니다. 노래방 도우미인 을녀는 이 직업을 통해 무수히 많은 사람을 대할 환경에 놓여 있고 만나는 사람들을 통해 무언가 인생에 있어 배울 점이 있는지, 그리고 사회에 뭔가 도움이 될 만한 일들이 있는지 관찰할 목적을 가지고 일을 했다면, 을녀는 노래방 도우미로 남은 삶을 마무리 짓지 않았음이 분명합니다. 을녀 스스로 변화를 일으킵니다.

즉 노래방 도우미라는 직업을 선택한 을녀는, 노래방 도우미를 선택하게 된 이유가 좋지 못한 에너지로 뭉쳐 있었기 때문에 친구 놀자의 가벼운 권유에도 쉽사리 넘어가게 된 것이고, 그 에너지는 말을 통해 서로 의사를 교환한 것이고, 서로가 서로를 끌어당긴 것이고, 결과적으로 을녀는 노래방 도우미가 된 것입니다. 노래방 도우미가 된 을녀는 만약 단순히 돈만 벌 목적으로 노래방에 온 손님들을 만났다면, 그 손님을 상대한 대가인 돈만을 벌 것이고 이는 영원히 을녀가 노래방 도우미로 살면서 돈의 노예가 된 인생을 살게 할 것입니다. 을녀가 만약 노래방에 온 손님들을 상대로 돈을 벌 목적이 아니라, 뭔가 다른 목적 예를 들어 손님들과 주고받는 대화 속에서 하나라도 건질 만한 정보가 있는지, 또는 오는 손님을 통해 사람을 대하는 법을 바르게 터득했다면 이는 다른 일을 할 수 있는 기회가 분명히 올 것이고, 이 기회를 살려 을녀는 노래방 도우미에서 다른 직업으로 바뀌게 했을 것입니다.

"세상에 대한 지식은, 벽장 속에서가 아니라
오직 세상 속에서만 습득할 수 있다.

– 체스터 필드 –

　'돈이 부족해.'라고 생각하면서, 돈이 내게 많이 오기를 바라는 것은 이치에 맞지 않습니다.

　현실 상황은 돈이 부족해도, 생각만큼은 풍부한 돈을 마음껏 사용하는 진동을 수시로 세상에 내보내야 돈이 내게 끌려옵니다.

24.
「파렴치한 악어의 눈물」로 풀어본
비밀의 문

✎ 상황

백고결은 서울형 어린이집 3곳을 운영하는 원장이고, 알다시피 서울형 어린이집은 서울시에서 엄격한 인증 평가를 거친 어린이집이라서 어린아이를 가진 부모라면 누구나 안심하고 보내고 싶은 어린이집이다.

사슴이 엄마는 직장에서 좀 일찍 퇴근해서 어린이집에 있는 아들 사슴이를 데리러 갔다. 평상시 같으면 어린이집 초인종을 누르면 현관문 밖에서 아이가 나올 때까지 기다리다가 아이를 넘겨받는데, 그날은 화장실이 급해 원장인 백고결에게 사정 이야기를 하고, 어린이집 화장실을 이용했다. 화장실에서 나온 후, 사슴이 엄마는 아침에 출근하면서 사슴이 먹이라고 건네준 채소죽을 다 먹였는지 확인도 할 겸 냉장고 문을 무심코 열어 봤다가, 썩은 냄새에 깜짝 놀랐다. 냉장고 안은 각종 유통기한이 지난 어묵, 곰팡이가 찌든 먹다 남은 죽, 카레 등이 놓여 있었다. 사슴이를 데리고 집에 돌아온 사슴이 엄마는 도저히 그냥 넘어갈 일이 아닌 것 같아, 원장 백고결에게 전화 연락하여 물어봤다.

"냉장고에 카레가 썩은 거 같은데, 이거 아이들 먹여도 되나요?"

원장은 웃으면서

"걱정 마세요. 저희는 서울시에서 평가인증을 받은 집이랍니다. 식자재 역시 친환경 재료를 이용해서 음식을 조리하다 보니 아마 약간 탄 것 같네요. 저희는 아이들 건강을 최우선으로 생각한답니다."

사슴이 엄마는 원장의 번질번질한 말에 분노했고, 관할 구청에 위 사실을 신고했다.

관할 구청 아동복지과에서 실시한 감사결과는 더 충격적이었다. 원장은 감사받는 내내 **눈물을 흘리면서** 말을 이어갔다.

"제가 아이들을 얼마나 사랑하는데요. 저는 우리 아이들 없이는 살 수 없을 정도예요. 제가 어떻게 썩은 음식을 우리 아이들에게 먹이나요?"

감사결과, 보육교사 수당 횡령, 식자재 부당 과대계상으로 원장 백고결이 운영하는 3곳 어린이집에서 3년간 빼돌린 돈의 액수가 자그만지 1억 6천만 원이나 되었다. 원장이 빼돌린 돈은 고스란히 원장의 서울 소재 빌라를 구매하는 데 흘러갔다.

✎ 이치

위 이야기는 몇 년 전에 신문에 난 기사를 제가 약간 각색해서 쓴 글인데, 그 당시 기사를 읽고 분노를 금치 못했던 기억이 생생합니다. 아이들 먹는 음식을 가지고 돈을 벌려 했다는 못된 사람이 눈물을 흘리면서 반성을 하는 것이 아니라 오히려 변명만 일삼는 것을 보고, 저게 바로 '악어의 눈물이구나.' 하는 생각이 들었거든요. 이를 보고 제가 생각한 것이 '서울형 어린이집이면 엄격한 심사를 거쳐 관할구청에서 평가인증을 받은 곳인데, 왜 저런 일이 일어났을까?'라는 의문점이 들었습니다. '서울형' 어린이집이라는 타이틀이 곧 아이를 맡기는 엄마 입장에선 보증수표나 다름없을 텐데 말입니다. 아이를 맡기는 부모 입장에서 형식적인 시설 평가 인증보다 오히려 우리 아이를 얼마나 소중히 돌봐주는지 그게 더 선택의 기준이 될 것인데, 이에 대한 원장과 보육교사의 인성과 자질에 대한 검증 기준이 우리나라는 많이 부족해 보입니다. 비단 어린이집만 국한된 문제가 아니라, 거동이 불편한 노인들이 거주하는 요양병원 등 약하고 소외당하는 사람들을 위한 시설 단체 역시 관리하는 사람들의 인성과 자질이 무엇보다 우선되어야 할 것입니다.

우리가 사람을 아는 방법으로 가장 좋은 것은 무조건 상대방의 의견을 잘 듣는 것입니다. 상대방의 의견을 잘 듣는다는 것은 내 의견을 입 밖으로 또는 머릿속에서 개입시키지 않고, 판단하지도 않고, 그냥 상대방이 어떤 이야기를 주절주절하는지를 들어만 주는 것입니다. 이렇게 상대방의 의견을 들어만 주면, 상대방의 대화 패턴이 대략 윤곽을 드러냅니다. 어떤 주제를 가지고 어떻게 생각하는지, 그리고 대화의 주제 폭이 얼마나 깊고 넓은지에 대해서 말이죠. 그다음 궁금한 것을 상대방에게 물어보십시오. 어떤 기준을 가지고 어린이집을 운영하고 있으며, 우리 아이들을 어떤 마음으로 대하는지에 관해서 물어보고, 또 상대방의 답변을 듣기만 합니다. 의견을 주고받는 것이 아니라, 질문에 대한 답변을 듣기만 합니다. 이런 과정을 거치고 나면, '우리 아이를 이 어린이집에 맡겨도 잘 보살펴주겠구나.' 하는 느낌이 불현듯 스칩니다. 이 느낌이 바로 정답입니다. 만약 느낌이 개운치 않고, 뭔가 꺼림칙스럽다면 그곳에 우리 아이를 맡기지 마십시오. 부모의 느낌만큼 정확한 선택이 또 있을까요.

정부는 기존 단순히 어린아이를 보육하는 시간에 따른 휴일보육, 24시간 보육 이런 획일적 맞춤 보육제도보다는 아이의 성격 유형에 맞춘 보육 환성을 조성한다면 아이는 장차 사회에서 올바르게 성장할 것입니다. 아이들도 어른과 같이 각자 고유의 성격

이 있을 것인데, 예를 들어 어떤 아이는 천방지축 뛰어놀고 말이
많은 아이가 있는가 하면, 어떤 아이는 혼자 있기 좋아하며 말이
없는 아이가 있을 수 있는데 이에 대한 고려 없이 동일하게 보육
을 한다면 아이들이 올바른 성장을 저해할 것이 분명하고, 이에
대해 아이들 성격 유형에 맞추어 보육을 한다면, 질 높은 보육시
스템이 이루어질 것입니다. 부모 입장에서 아이를 안심하고 맡길
수 있도록, 그리고 그 아이가 어린이집에서 잘 보육 받을 수 있으
려면 단순히 시설 측면, 보육시간, 선생님 수 이런 수치화된 기준
으로 분류하는 것이 아니라, 어린이집 원장과 보육교사의 인성과
자질 교육을 국가적 차원에서 철저히 실시하여 아이 개성에 맞춘
교육을 할 수 있도록 수준을 더한층 높일 필요가 있습니다.

美 버클리대 바움린드 박사 이론

사랑, 관심 / 요구, 훈육	관심보이기 - 따뜻함	거부하기 - 차가움
요구하기(훈육증가)	**권위적 양육** high warmth high control	독재적 양육 low warmth high control
허용하기(훈육감소)	허용적 양육 high warmth low control	방임적 양육 low warmth low control

• 사랑과 훈육을 동시에 적절하게 적용하여 아이를 양육하는 경우에 가장 만족스러운
 아이로 성장하게 되며, 이를 권위적 양육이라 함.

- 「기질별 육아혁명」, 박진균

탐욕스러운 악어 원장의 눈물과 떨고 있는 어린아이

25.
「월급 1,000만 원에 팔려가다」로 풀어본 비밀의 문

✐ 상황

강국은 서울시 소속 7급 공무원이다. 강국은 현재 서울 노원구 상계 3동 주민자치센터에서 민원업무를 하고 있는 중이다. 어느 날 강국의 핸드폰으로 전화가 걸려 왔는데, 발신자를 보니 처외삼촌이었다. 이분으로 말씀드릴 것 같으면 전라도 산골 촌마을에서 젊을 때 서울로 올라와 갖은 고생을 한 후 현재는 스테인리스 제조 사업을 크게 하여 수백억대 재산가로 알려진 분이고, 강국이 연애할 때부터 장모님이 침이 마르게 칭찬했던 분이다.

강국은 핸드폰 발신자가 처외삼촌인 줄 알고 얼른 전화를 받았다.

"안녕하세요, 외삼촌. 요새 사업은 잘되시지요?"

강국의 안부 전화를 뒤로 한 채 처외삼촌은

"이 서방, 잠깐 저녁에 만나 이야기할 게 있는데 시간 괜찮나?"

라고 했다. 강국은 그날 밤 처외삼촌을 커피숍에서 만났고, 처외삼촌은 강국에게 서울 강북 수유리에 있는 스테인리스 매장 하나를 맡아 운영해 볼 생각이 있냐고 물어봤다. 스테인리스 사업에 대해 강국이 전혀 아는 바가 없으니, 3년간은 현재 공무원 월급 정도 주고, 3년 후부턴 매장에서 나온 수익금 중 절반을 주겠다고 제의했다. 강국은 집에 돌아와서 아내에게 외삼촌의 러브콜 제의에 대한 의견을 물어보았다. 아내는 당연히 부자인 외삼촌한테 가서 일하면 3년 후에 공무원 월급보다 비교도 할 수 없을 만큼 많은 돈을 벌 수 있는 기회라면서 강국의 등을 떠밀었다. 사실 강국의 부모님은 대대로 농사만 지어온 터라 아들이 장가갈 때 금전적으로 도와줄 형편이 못되어 그 문제로 처갓집으로부터 괄시를 많이 받았다. 그러나 강국의 부모님은 강국을 서울시 공무원으로 만들기 위해 없는 살림을 탈탈 털어 대학교도 보내고 학원도 보내고 하여 지금 서울시 7급 공무원이 된 것이다. 이른 새벽녘에 강국은 저절로 눈이 떠졌다. 작은 방으로 건너온 강국은 책상 의자에 앉아 자신에게 반문했다.

"시골에서 공무원을 만들기 위해 갖은 고생을 마다한 부모님 희생으로 현재 내 위치에서 일하고 있는데, 그 희생을 저버리고 단순히 돈만을 쫓아 공무원을 그만두고 스테인리스 공장을 운영하는 것이 옳은 것인가?"

그다음 날 강국은 처외삼촌을 만나 단도직입적으로 물어봤다.

"외삼촌, 3년 동안 2~300만 원 월급을 주지 마시고, 차라리 1년 동안 월 1,000만 원씩 주세요. 1년 동안 열심히 제가 수유리 매장 스테인리스 사업을 번창시켜 놓을 테니까 걱정 마시고 저를 믿어 주세요. 사업이 번창하면, 1년 후에는 제게 매장 운영권을 주시고, 수익금의 절반을 드릴게요."

외삼촌은 강국의 이직 조건을 찬찬히 들어본 후, "이 서방, 자네 말은 잘 들었고, 내 좀 생각해 봄세. 근데 돈은 열심히 일한다고 하여 돈이 벌리는 것은 아니네, 금세 벌릴 것 같지만 그렇지 않은 경우가 더 많거든."

금방 연락이라도 올 것 같았던 외삼촌의 부름은 1년이 지나도 연락이 없었고, 강국은 오늘도 주민자치센터에서 민원업무를 하고 있는 중이다.

✎ 이치

사람은 명예를 소중히 여기는 사람이 있는가 하면, 돈을 소중히 여겨 돈을 벌기 위해선 어떠한 비굴한 일도 마다하지 않는 사람이 있습니다. 소위 지식인은 명예를 소중히 여기는 부류로 돈을 벌고자 하는 욕망으로 돈을 좇아가는 순간 지식인의 삶은 어려워지고 혼란의 연속이 됩니다. 강국이 서울시 7급 공무원이 되기까지 전라도 산골 촌마을에서 농사를 짓던 부모님의 희생이 없었다면 강국은 공무원의 인생을 살 수 없었습니다. 그런 피눈물 나는 부모님의 희생을 토대로 강국이 공무원이 되었다면, 물질을 탐하는 그런 어리석은 욕심은 내지 말아야 합니다. 강국이 단순히 먹고 살기 위한 수단으로 공무원을 선택하였다면, 먹고 살 만큼만 강국에게 월급으로 주어집니다. 신이 더 주고 싶어도 강국이 애당초 먹고 살 만큼만 달라고 했기 때문입니다. 이 글을 여기까지 읽은 강국이 이렇게 반문할 수 있습니다. "만약 신에게 삼성 이건희의 재산만큼 달라고 요구했다면, 신이 삼성 이건희 재산만큼 월급으로 주나요?" 이런 생각을 품었다면 강국은 이제 뇌물을 먹는 공무원으로 전락하여 곧 쇠고랑을 차게 될 것입니다.

돈은 곧 에너지(Energy)이며 고여 있지 않고 물이 흐르듯 흘러다닙니다. 돈이 흘러가 모이려 하는 곳은 그 에너지를 사용하여 인류사회를 디힌충 발전시키러는 생각을 품고 있는 사람에게 자석처럼 달라붙습니다. 강국이 공무원이라서 적은 월급을 받는 것이 아니라, 강국의 생각 그릇이 작아서 흘러다니는 돈을 딱 그만큼만 담을 수 있는 것입니다. 재력가인 처외삼촌은 어느 날 강국을 테스트합니다. 스테인리스 사업에 경험이 전혀 없는 강국에게

3년의 기간을 통해 공무원 마인드에서 사업가 마인드로 바꿀 수 있는 잘 닦인 사업 환경을 줄 테니, 3년 동안 그 환경에서 열심히 배우라고 합니다. 강국에게 주민자치센터 일을 하면서 받아온 공무원 월급 정도의 돈을 대 줄 테니 제발 3년 동안 충실히 사업가로서 자질을 키우고, 능력을 끌어올리라고 합니다. 그러나 강국은 사업가로서 능력을 갖추기도 전에 외삼촌에게 생떼를 씁니다.

"외삼촌, 3년 동안 줄 월급을 1년으로 한꺼번에 몰아서 월 1,000만 원씩 주세요."

재력가인 외삼촌은 강국의 역제안에 실망하고, 돈의 속성에 대해 이야기를 해 줍니다.

"돈은 열심히 일한다고 하여 돈이 벌리는 것이 아니네, 금세 벌릴 것 같지만 그렇지 않은 경우가 더 많거든."

강국이 만약 외삼촌의 처음 제안처럼 3년 동안 사업가로서 마인드를 키우고 능력을 갖추었다면, 그리고 강국 스스로 왜 사업가로서 어떤 일을 하기 위해서 시골에 계신 부모님의 희생으로 이룬 공무원의 길에서 사업가의 길로 가려 하는지 그 목적에 대한 이유를 명확히 세웠다면, 이 이야기의 결론은 다른 방향으로 흘러갈 것입니다. 강국이 사업가로서 외삼촌의 스테인리스 사업을 이어받아 그 사업을 통해 인류사회에 뜻깊은 일을 했을 것이고, 공무원의 길이 아닌 사업가의 길을 즐겁고 기쁘게 가는 강국의 모습을 보면서 시골에서 농사를 지으며 희생을 한 부모님은 이루 말할 수 없이 기뻤을 것입니다.

삶은 당신에 관한 것이어야 합니다.
당신이 삶의 중심이 되지 않는다면
당신은 그곳에 있을 수 없습니다.
삶은 당신보다 더 큰 것을 위해야만 합니다.
그것을 위해 당신은 관계를 맺을 줄 알아야 합니다.
당신은 자신을 넘어 더 큰 것을 위해 살아야 합니다.
그것은 당신이 당신보다 훨씬 더 큰 무엇의 일부임을 아는 것입니다.
그것은 모두 당신에 관한 것입니다.
삶은 당신에 관한 것이어야 하고, 당신이 무엇을 할지는 당신에게 달려 있습니다.

― 「씨드」에서 ―

26.
「게임업체 사장인 조카사위에게 한 수 배우다」로
풀어본 비밀의 문

✎ 상황

  종혁은 지금 자존심이 몹시 상했다. 나이도 한참 어린 조카사위 녀석에게 우롱을 당한 느낌이 들어서인지 밤잠을 설칠 정도였다. 종혁은 국내 굴지의 제철회사 차장으로 올해 25년째 근무했고, 5년 후면 퇴사를 해야 한다. 종혁은 1년 전에 우연한 계기로 TV에서 어린이집 선생님이 말 안 듣는 아이를 상대로 심하게 학대하는 것을 보고 개탄을 한 후에, 어린이집을 어떻게 운영하고 관리하면 학대받는 유아들이 없을까 하는 생각을 자주 하게 되었다. 그러던 차에 종혁은 기존에 정부에서 운영하는 어린이집 인터넷 정보가 획일적으로 어린이집 시설에만 초점을 맞춘 간단한 안내 정도로 되어 있는 것을 보고, 아이의 유형별 성격에 알맞은 어린이집을 매칭해주는 인터넷사업을 하면 이런 문제점들이 해소되지 않을까 하는 구상을 해 보았다.

  종혁은 도서관에서 아이의 유형별 성격에 관한 책들을 열심히 읽어보고 아이들 인성, 성격을 테스트하는 전문 심리기관을 찾아가 자문했고, 어린이집 원장, 어린이집 연합회 총무 등 실무자들을 만나 많은 조언을 들었다. 이제 드디어 종혁은 '아이의 유형별 성격을 파악하여 알맞은 어린이집과 매칭하는 사업'이란 제목으로 사업계획서를 작성해 보았다. 종혁은 25년간 제철회사 현장에서 근무만 하다 보니, 아이와 어린이집을 매칭하는 사업계획서를 누구에게 보여 주어 검증을 받아야 할지 망설여졌다. 아무리 사업계획이 그럴듯하다 한들 수익성이 없으면 그걸 사업이라고 할 수 있겠나 하는 자괴감마저 들었다. 이때 종혁의 머리에 게임업체 사장인 조카사위 김똘복이 번뜩 생각났다. 김똘복은 나이는 30대 후반인데 중국에서 게임업체를 운영하는 사장이었고, 저번 설명절 때 보니 '디스커버리' 외제차량을 몰고 다니면서 거만함이 배어 나오는 인상이 있어, 종혁은 오랜 직장생활 경륜의 시각으로 바라본 결과 돈만 잘 버는 조카사위와 말조차 섞고 싶지 않았다. 그런 조카사위에게 종혁은 이 웅대한 아이와 어린이집을 매칭하는 사업계획서를 차마 보여주고 싶지 않았지만, 그래도 주위에 사장이라 불리는 사람이 없다 보니 어쩔 수 없이 조카사위에게 보여 주었다.

이메일로 조카사위에게 사업계획서를 보낸 후, 종혁은 금방이라도 사업에 필요한 조언을 조카사위에게 들을 줄 알았는데, 1주일이 지나도 감감무소식이었다. 더 이상 기다릴 수 없었던 종혁은 조카사위에게 연락을 해 보았다.

"김 서방, 내가 보내 준 사업계획서 읽어보았나, 어땠어?"

"아, 삼촌, 제가 요새 너무 바빠서 연락을 못 드렸네요. 사업계획서를 읽어보니까, 정성을 많이 들이셨던데요. 아이와 어린이집 매칭 사이트를 생각하시는 거면, 저한테 많이 자문을 받으셔야 해요. 수익을 어떤 방식으로 창출할 것인지 이런 부분도 좀 더 생각을 하셔야 할 것 같고, 또…."

종혁은 들고 있던 핸드폰으로 들리어 오는 조카사위의 답변이 이상하게 마음에 쏙쏙 들어오지 않고, 메스꺼운 생각이 스멀스멀 올라왔다.

"싸가지없는 녀석 같으니라고, 어디서 삼촌한테 조언 질이야 건방지게…."

그날 이후 종혁은 조카사위에게 연락을 일체 하지 않았고, 종혁이 구상했던 웅대한 '아이와 어린이집 매칭사업 계획'은 아직까지 표류 중이다

✎ 이치

종혁은 TV에서 어린이집에서 말을 안 듣는다는 이유로 선생님한테 학대받는 어린이를 보고, 이 사회적 문제를 해결하고자 '아이의 유형별 성격에 맞춘 어린이집 매칭사업'을 구상해 냅니다. 그리고 이 계획을 이루기 위해 아이 성격 관련 책을 많이 읽어보고, 성격테스트 전문기관, 주변 어린이집 원장 등을 만나 많은 조언을 들은 후, 드디어 사업계획서를 작성하기까지 합니다. 그 후 이 사업계획서는 세상에 나와 시행해 보지도 못한 채 계속 현재까지 표류 중입니다. 이유가 무엇일까요?

먼저 종혁의 일련의 생각과 행위들이 모여 만들어진 '아이와 어린이집 매칭사업'이 공익을 위한 것인지, 이 사업을 통해 종혁이 돈을 벌기 위한 것인지를 명확히 설정을 하고 출발해야 합니다. 공익을 위한 것이라면, 수익성은 고려 대상이 아니기 때문에 정부와 지방자치단체의 협조하에 진행을 하는 것이 바람직합니다. 그러나 사익을 위한 것이라면, 수익성을 우선적으로 고려해야 하기 때문에 '아이와 어린이집 매칭사업'의 사업적 타당성을 다각도로 검토해야 합니다. 예컨대 인터넷 홈페이지를 이용하여 매칭사업을 한다면 화면 상단, 하단, 좌우 옆면에 협찬하는 업체, 전국 어린이집, 성격 심리기관 등을 광고하는 글을 올려 수익성을 재고

하는 방안도 있습니다. 또 아이를 유형별로 성격 테스트하고, 어린이집 원장과 선생님들을 성격 테스트하는 프로그램을 유료화하여 수익을 올리는 방법도 있습니다. 또, 인터넷 홈페이지 코너에 '전국 어린이집 시설 동영상'을 게재해 놓아 어린이집을 보내야 하는 부모가 사전에 어린이집 시설 동영상을 시청한 후, 좀 더 알찬 정보를 접한 다음에 우리 아이를 보내고자 하는 어린이집에 직접 방문한다면, 알맞은 어린이집을 찾는 데 발생하는 시행착오를 크게 줄일 수 있습니다. 이때 동영상 중간에 아이와 관련된 상품 광고를 끼워 놓아 홍보한다면, 이 또한 수익성 사업의 일환이 될 수 있습니다. 결국, 종혁의 '아이와 어린이집 매칭사업'은 공익을 위한 것인지 아니면 사익을 위한 것인지에 따라 진행되는 사업 추진 방향은 확연히 달라집니다.

둘째, 종혁은 25년 동안 거대한 회사조직에서 하나의 부품 역할을 해 왔습니다. 종혁이 근무한 국내 굴지의 제철회사는 창업자의 회사 사훈이 있을 것이고, 그 사훈에 맞추어 이 거대 조직은 인재를 불러 모아 적재적소에 사람을 배치하여 회사가 번창하는 데 최선의 운영을 해 왔습니다. 이제 종혁은 이 잘 짜인 거대조직에서 탈피하여 종혁이 발견한 사회적 모순인 어린이집의 아이 학대를 어떻게 하면 해결할 수 있을지에 대한 깃발을 꽂고 먼 항해를 떠나려 합니다. 거대조직의 선원으로서가 아니라, 돛단배의 선장으로서 출발합니다. 종혁 스스로 선장으로서, 즉 사업가로서 알아야 할 지식과 식견을 갖추었는지 종혁은 한번 자신을 돌아봐야 합니다. 사업을 하다 보면 나보다 나이가 훨씬 적지만 도움을 받아야 할 일이 비일비재할 것이고 나이 어린 사람이 종혁에게 친절하게 예의를 갖추며 대할 것이라는 생각을 한다면, 아직 종혁은 조직의 종업원 마인드를 벗어나지 못한 것입니다. 사회에서 갑과 을을 가리는 기준은 도움을 받는 사람이 누구냐에 따라 철저히 가려집니다. 도움을 주는 사람이 갑이고, 도움을 받는 사람은 을입니다. 갑과 을을 정할 때 나이의 많고 적음, 촌수관계는 전혀 고려 대상이 아닙니다. 종혁은 '아이와 어린이집 매칭사업'을 진정 세상에 펼치고자 한다면, 게임업계에서 성공한 조카사위 똘복의 조언을 겸손하게 받아들여야 합니다. 비록 나이가 어린 조카사위일지언정 사업에 대해선 종혁보다 일가견이 있고 사람을 다루는 능력이 비범하다면, 조카사위가 갑의 위치에 있는 건 당연합니다.

마지막으로 종혁이 구상한 '아이와 어린이집 매칭사업' 계획에 조카사위의 조언을 겸손하게 받아들였다면, 이제 실행을 하기 위한 첫걸음을 아주 작은 거라도 해야 합니다. 매칭사업 홈페이지를 일단 개설하세요. 홈페이지 개설에 돈이 많이 들어간다면 인터넷 블로그(blog)를 만들어 이것저것 해 보세요. 가까이 있는 어린이집을 방문하여 종혁이 하려는 사업계획에 참여를 부탁하세요, 어린이집 홍보 동영상 촬영도 하시고요. 열정을 가지고 도전하세요. 현장에서 부닥치면서 보고 듣고 느낀 것을 가지고 애초 구상했던 사업계획서를 계속 수정하면서 더 나은 '아이와 어린이집 매칭사업'으로 개선해 나가세요.

- 성과 = 역량 × 실행력

  - 역량 = 재능, 지식, 창조적 Idea

  - 실행력 = 0, 성과 = 0

  - 재능과 지식, 아이디어가 있어도 실행이 없다면,
    어떤 결과도 얻을 수 없다.

  – 『실행이 답이다』에서 –

- 명장은 미래의 승리로부터 역산하여 현재 일어나는 사건의
  의미를 스스로에게 묻는다.

- 성공의 이미지를 떠올리는 사고 단계에서, 현실과 일치하는
  곡선을 시각적으로 볼 수 있는 사람은 반드시 좋은 결과를
  얻을 수 있다. 현실이 기대대로 되지 않는 상황을 곡선 그리
  는 시점에서 이미 상정한다. 따라서 일이 잘되지 않아도 감
  정적으로 당황하지 않고 적극적으로 대처한다. 벽에 부딪혔
  을 때는 '예상된 일이 일어났을 뿐'이라고 가볍게 받아넘기며
  기대를 높이 유지하는 것이 목적을 실현할 수 있는 비결이다.

  – 『전뇌사고』에서 –

27.
「가난한 사람들의 봉사활동」으로 풀어본
비밀의 문

✎ 상황

• 철수와 영희는 오늘도 교회에 나가 거동이 불편하신 노인들의 발을 깨끗이 씻겨주었다. 선행을 하면 천국에 갈 수 있으리라는 믿음에 독거노인의 발을 정성껏 씻기고 있는 중이다.

• 춘희는 빚이 2억이 넘었다. 아파트 담보대출, 신용대출, 최근에는 사채까지 끌어와서 주식 투자를 하고 있는 중이다. 언젠가 한방 터지면 이깟 빚쯤이야 능히 갚을 수 있으리라는 믿음이 있다. 어느 날 TV 방송에서 차인표, 신애라 부부가 전 세계 불쌍한 어린아이 40명을 넘게 후원하며 각종 봉사활동에 앞장서서 참여하고 있는 모습을 보며, 춘희는 나도 봉사활동이나 한번 해 볼까 하는 생각에 자선단체 어린이 양육비로 매달 4만 원씩 꼬박꼬박 보내고 있는 중이다.

• 제니의 형제·자매는 2남 3녀이며, 제니는 그중 맏이다. 제니는 동생들을 공부시키고, 결혼 보내는 과정 중에 직장생활로 번

돈을 모두 다 사용하였다. 50대에 접어든 제니는 미래에 닥쳐올 노후 생각만 하면 막막하기만 하다. 이 와중에 며칠 전 사업하는 남동생 자두가 찾아와서 만기 도래하는 어음을 막지 못하면 사업이 부도난다면서, 제니에게 2천만 원을 융통해 달라고 떼를 쓰고 있다.

✧ 이치

남을 돕는 행위는 내가 경제적으로나 지적으로 힘이 있을 때 해야지만 비로소 바르게 도와줄 수 있습니다. 나 자신이 빚에 허덕여 경제적으로 여력이 없는 상황에서 남을 돕는다는 것은 제 처지도 모르면서 허세만 부리는 이치에 맞지 않는 행동입니다. 불쌍한 독거노인의 발을 단순히 씻겨주는 봉사활동 역시 독거노인을 바르게 돕는 것인지 성찰해 봐야 합니다. 이런 곳에 가서 단순히 봉사활동만 하는 것이 아니라 어떻게 하면 앞으로 불쌍한 독거노인 수가 감소하고, 어떻게 하면 독거노인이 기쁜 삶을 살 수 있는지에 대한 사회복지 시스템을 개발하는 연구를 해야 합니다. 단순히 독거노인의 발을 정성스럽게 씻겨 주는 행위로 인해 천국에 가지 않습니다. 오히려 그런 행위가 남을 돕는 선행이라고 생각한다면 그건 잘못된 선행입니다. 지하철을 타면 구걸하는 눈먼 봉사, 다리 없는 사람, 껌 파는 어린아이 등 불쌍한 사람들을 보고, 한푼 두푼 돈을 주게 되면 그 눈먼 봉사와 같이 불쌍한 사람들은 영원히 거지 생활을 벗어나지 못하게 됩니다. 거지 생활을 영원히 하라고 한푼 두푼 돈을 주는 행위가 어찌 남을 돕는 행위이고 선행이라는 말인가요. 불쌍한 사람을 바르게 돕는 것은 불쌍한 사람이 행복한 삶을 살 수 있도록 이끌어 주고 인도해 주는 것을 말하며 동정심으로 쌀 주고, 라면 주고, 빵 주는 것을 일컫는 것이 절대 아닙니다. 불쌍한 사람을 굽실거리게 만드는 것은 나의 선행이 아님을 꼭 기억하세요.

남을 경제적으로나 지적으로 돕기 위해서는 나부터 그만한 경제력과 실력이 있어야 가능한 일입니다. 달러 빚까지 사용하고 있는 마이너스 인생을 살고 있는 사람이 지구 반대편 기아로 허덕이는 굶주린 어린아이를 도울 자격은 절대 없습니다.먼저 자신부터 갖추는 노력을 해야 합니다. 불쌍한 어린아이를 바르게 돕고 싶다면 왜 이렇게 불쌍한 아이들이 계속 늘어나는지, 어떻게 하면 기아를 해결할 수 있는지, 이 구조적 모순을 해결하기 위해 내가 해야 할 일은 무엇인지에 대한 연구를 소명의식을 갖고 해야 합니다. 이런 연구 노력이야말로 전 세계 굶주리는 어린아이를 바르게 돕는 길이며, 연구 결과물에 따라 사용할 돈이 모이고 인재 역시 몰려와서 세상에 펼칠 수 있게 만듭니다.

　형제·자매가 내게 와서 돈을 꾸어달라고 할 때도 같습니다. 남동생이 돈을 빌려 달라고 하여 형제애 때문에 돈을 선뜻 주게 되면, 남동생은 사업이 왜 부도가 나게 될 지경에 이르렀는지에 대한 원인 분석을 제대로 하지 않은 채 사업을 하여 또다시 부도에 처할 지경에 이르게 됩니다. 남동생에게 선뜻 돈을 빌려준 것이 오히려 나중에 더 큰 사업 실패로 이어진다면, 누나는 남동생을 바르게 도와주었다고 할 수 없습니다. 먼저 남동생 사업이 부도에 처한 원인에 대해 잘 들어본 후, 충분히 재기가 가능하다고 판단이 될 경우에만 돈을 빌려주어야 올바르게 도와주는 것입니다. 또한, 누나 제니는 동생들의 뒷바라지를 하느라 모아 둔 돈이 없어 노후 대책도 세우지 못한 상태라면 누나는 동생을 도와줄 자격이 없습니다. 본인 스스로 경제적으로 힘을 갖출 때까지 형제·자매와 타인을 도울 생각일랑 하지 말고 풍요로워지기 위해 노력을 해야 합니다.

28.
「머리 검은 짐승은 거두지도 믿지도 말라」로
풀어본 비밀의 문

◈ 상황

"배은망덕한 여자 같으니, 옛말 틀린 거 하나 없다니까요. 머리
검은 짐승은 거두지도 믿지도 말라더니, 그 말이 딱 맞는다고요."

"지 외로울 때 내가 순수하게 말도 걸어주고 탁구장도 같이 데
리고 가서 사람들도 소개해 주고 그랬는데, 이제 좀 사람도 사귀
고 하니까. 딱 모른 척하다니…. 나쁜 여자 같으니라고!"

민국은 따발총처럼 선배 대한에게 동료인 세희를 비난하기 바
빴다.

민국과 세희는 나이가 같아 세희가 직장에서는 2년 선배임에도
고등학교 졸업 연도가 같아 서로 말을 편하게 놓고 친구같이 지
내기로 한 사이다. 세희는 타고난 성격이 소심하여 남과 잘 어울
리지 못해 흔한 말로 직장 내에서 '왕따'였다. 그런 그녀에게 손을
내민 건 민국이었고, 민국은 능수능란한 말솜씨로 꽁꽁 얼어붙은
그녀 마음을 따뜻하게 어루만져 주었다. 그리고 민국은 직장 내

탁구 동호회로 세희를 데리고 가서 그곳 회원들에게 소개해 주고 함께 탁구를 치면서 즐거운 시간을 보냈다. 1년이 지났을까. 세희가 다른 부서로 이동을 하고 나서부터 민국만 바라보면서 둘도 없는 우정을 과시하던 세희의 태도가 민국이 보기에 좀 쌀쌀맞게 느껴졌다. 민국은 카카오톡으로 세희에게 '점심 같이 먹자.'고 메시지를 보냈으나, 세희는 묵묵부답이었다. 그리고 저녁에 탁구장에서도 민국을 외면하는 세희를 보고, 민국은 불쾌하기 그지없었다. 둘 사이가 냉랭해진 것을 보고, 탁구회원들은 민국에게 세희와 무슨 일이 있었냐는 둥 이런저런 말을 농담 삼아 건넸고, 민국은 이런 물음에 일일이 대꾸하는 것이 귀찮고 불편하기까지 했다.

어느 날 저녁 늦게 세희의 탁구 치는 시간을 피해 탁구장에 온 민국은 선배 대한과 탁구시합을 하면서, 탁구공이 미처 탁구라켓에 도달하기도 전에 강한 스매싱 동작을 취하다가 우측 어깨를 삐끗했다. 처음에는 뭐 단순히 인대가 늘어났겠지라고 가볍게 생각했던 것이 그다음 날 오른팔이 퉁퉁 부어올라 왔고, 근처 정형외과 MRI 검사결과 '우측 견관절 힘줄 파열'로 1년이 지난 지금까지 통증으로 고생하고 있다. 민국은 새벽에 어깨통증을 줄일 생각으로 집 근처 사우나에 가서 열탕에 몸을 담그고 눈을 감았다. 직장 내에서 왕따 당해 숨죽인 채 지내고 있던 세희에게 따뜻한 손길을 내밀었던 못난 모습과 세희의 배은망덕한 행동들, 그리고 이런저런 스트레스를 한 방에 날려 보내려고 탁구시합을 하다가 성급히 스매싱 동작을 취하다가 어깨 근육을 다친 것. 이런 일련의 과정을 보건데, 민국은 세희에게 강한 원망을 마음속에 가졌고, 앞으로 세희와 어떤 말도 하지 않겠다고 굳은 다짐을 했다.

그 후 직장에서 민국은 세희를 가끔씩 만났으나, 세희는 어떤 일도 일어나지 않았다는 듯이 웃는 얼굴로 표정이 굳어 있는 민국을 바라보며 말을 걸어왔다.

"아직도 삐졌어?"

이런 말을 들은 민국은 세희가 '어쩜 이렇게 나를 가지고 장난질을 하나?'는 생각에 세희와 상종도 하기 싫었다.

✎ 이치

민국에게는 미안하지만, 상황이 너무 재미있습니다. 민국과 세희가 연인들 같이 서로 밀고 당기는 것처럼 보이니까요. 연인이 아님을 가정하고, 민국의 상황을 한번 풀어보겠습니다. 민국은 직장 내에서 왕따인 세희를 도와주어 밝은 세상으로 세희를 이끌고 나가는 데 큰 도움을 주었다고 생각합니다. 민국이 다니던 탁구

동호회까지 세희를 데리고 나가 회원들을 소개해주기까지 했으니 민국으로서는 세희의 부족한 부분을 메꾸어 주었다고 민국 스스로 생각을 할 것입니다. 그런데 여기서 하나 짚고 넘어갈 것이 세희는 민국에게 도움을 요청한 사실이 없다는 것입니다. 민국이 보기에 세희는 직장 내에서 왕따이고, 소심해 보이고, 그래서 대인관계가 좋지 않아 어울리는 사람이 없어 민국의 동정심이 저절로 일어난 것뿐입니다. 세희는 원래 성격이 소심하고 사람들과 잘 어울리지 못하여 많은 시간을 혼자 보내는 여성입니다. 세희 자신이 이런 성격으로 말미암아 직장생활을 원만히 하는 데 어려움이 있었다면, 세희 스스로 왜 이렇게 사람들과 잘 어울리지 못하는 것인지에 대해 깊은 반성을 먼저 하는 것이 우선입니다. 세희 스스로 이에 대한 반성도 없는 상태에서 민국이 동정심으로 세희를 돕는다는 것은 세희를 올바르게 돕는 것이 아닙니다. 오히려 민국 없이는 직장생활을 원만히 할 수 없도록 만든 꼴입니다. 다행히 세희는 다른 부서로 이동을 하면서, 민국의 강한 보살핌을 뿌리칩니다. 민국 없이도 부서 사람들과 잘 어울릴 수 있고, 민국 없이도 탁구장에서 회원들과 재미있게 탁구를 칠 수 있다는 것을 세희는 민국에게 보여줍니다. 민국은 그런 세희의 달라진 모습을 보고, 기뻐해야 맞나요? 아니면 배은망덕한 여자라고 비난해야 맞나요? 민국이 처음에 세희에게 따뜻한 손길을 내민 이유가 소위 직장 내에서 왕따로 혼자 지내는 것을 불쌍하게 여겨 동정심이 발현하여 세희와 친구로 지내기로 했다면, 이제 달라진 세희의 태도에 친구인 민국은 기뻐해야 맞습니다. 그런데도 왜 민국은 달라진 세희의 태도를 보고 화가 나는 것일까요? 그건 민국이 세희를 내 마음대로 조종할 수 있고, 나 없이는 세희는 직장에서 왕따로 살아갈 것이니 나만이 세희를 구제할 수 있다는 오만한 착각을 한 것입니다. 그 오만한 착각으로 말미암아 민국은 세희를 배은망덕한 여자로 간주하고 비난을 서슴지 않으니, 민국은 이제 자신의 잘못을 절대 본인 스스로 찾아낼 수 없습니다. 그래서 신은 민국에게 이 잘못을 가르쳐 주기 위해 탁구시합을 하는 민국의 우측 어깨를 다치게 합니다. 민국이 우측 어깨를 다친 이유는 단순히 탁구공이 도착하기도 전에 강한 헛스윙으로 말미암아 어깨 힘줄이 파열된 것으로 생각하지만 사실 민국은 세희의 태도 변화에 스트레스를 받고 있었고 주위 사람들에게 세희에 대한 비난을 쏟아붓고 있던 터라 안 좋은 에너지들이 몸 안에서 고밀도로 축적되어 언제라도 펑 하고 터질 상태였습니다. 마침 늦은 밤 세희를 피해 민국이 선배 대한과 탁구시합을 하는 것을 보고 신은 벌을 내린 것입니다. 이 아픔을 통해 제발 정신 차리라고.

그러나 민국은 우측 어깨 근육파열로 인한 아픔을 통해 왜 이런 일이 민국 자신에게 생겼는지 냉철히 반성을 해야 하는데, 오히려 그 원인을 세희의 태도 변화로 인하여 받은 스트레스를 풀다가 어깨 근육을 다친 것이니까, 이 모든 책임은 세희에게 있다는 남 탓을 합니다. 그리고 세희를 직장에서 보면 외면을 합니다. 기가 찰 노릇이죠. 신은 그런 민국을 보고, 다시 세희의 입을 통해 웃는 얼굴로 "아직도 삐졌어?"라고 또 한 번의 경고를 보내지만, 민국은 여전히 세희의 이런 말이 나를 가지고 장난질하는 것으로 여기고 아예 상종을 하지 않기로 결심합니다. 이런 상황을 통해 신이 민국에게 알려주려 했던 것은 무엇일까요? 바로 주변 사람들을 어떻게 하면 올바르게 돕는 것인지에 대해 알려 주려 한 것이 아닐까요? 민국이 세희를 올바르게 도우려 했다면, 먼저 **세희 스스로** 직장생활에서 왕따를 당한 이유에 대해 철저히 반성하고 이에 대한 공부를 할 수 있도록 차근차근 도와주는 것이 우선 되어야 맞습니다. 즉 세희 스스로 성격이 바뀌지 않으면 아무리 민국이 세희에게 수천 명의 사람들을 소개해 주어도 그건 도와주는 것이 아니라는 뜻입니다. 세희를 바르게 도와주지 못했으니, 민국이 어려운 상황에 처한 것은 당연한 결과입니다.

29.
「고집 센 독신녀와 호구 친구」로 풀어본
비밀의 문

✎ 상황

현정은 올해 나이 43살 독신 직장여성이다. 서른 초반만 해도 따라다니던 남자가 한둘이 아니었다. 성격이 아주 조용하고 남을 배려하고 주로 듣는 입장이고, 천생 여자였다. 그녀 성격이 음울하게 바뀐 건 사귀던 남자 때문이었는데, 그 남자는 같은 직장 유부남이었다. 둘은 아주 진한 사랑을 했으나, 유부남은 우유부단하여 아내와 깔끔하게 이혼을 하지 못하고 현정과 불륜관계를 한동안 유지하다가 끝내 현정과 헤어졌다. 그 충격으로 인해 현정은 직장 사람들을 피하고, 대화를 하지 않았고 헤어진 충격의 출구로 늦은 나이에 대학원에 진학하여 공부에만 매진했다. 그리고 미국에 유학까지 갔다 온 현정은 다른 사람이 되어 돌아왔다. 전에 나약하고, 남을 배려하고, 남의 의견에 이끌려가던 그런 소심한 성격에서 남을 배려할 줄 모르고 약속 시간에 늦기 일쑤이며 친구에게 상처를 주어도 미안하다는 형식적인 말만 되풀이하지 미안한 감정이라곤 전혀 느껴지지 않는 이기적인 사람으로 탈바꿈하여 돌아온 것이다. 친구들은 현정의 이기적인 태도에 모두 적잖게 놀랐고, 현정의 그런 모습에 실망하여 하나둘씩 멀어져 갔다. 한때 가까웠던 친구 호구는 완전 남이 되어 버린 현정의 모습에 안타까워 진심 어린 충고를 했다.

"현정아, 너 자신을 한번 돌아봐봐, 넌 미안하다는 말 말곤 할 말이 그렇게 없니?"

그러나 돌아온 현정의 답변은 짤막했다.

"그러면 무슨 말을 해야 하는데, 너나 잘하세요."

친구 호구는 어릴 때부터 글쓰기를 좋아했고, 최근 장편소설을 탈고하여 현정에게 원고를 갖다 주면서, '한번 읽고 괜찮은지' 검토해 주기를 부탁했다. 현정은 호구의 원고를 힐끗 보면서 '주말에 한번 읽어 볼게.'라고 이야기를 했으나 호구는 영 마음이 개운치 않았다.

월요일 아침이 되자 호구는 현정이 근무하는 사무실에 찾아가서 현정에게 자신이 쓴 원고를 읽어 보았는지 물어보았고, 현정의 답변은 냉혹했다.

"아니, 휴일에 논문 쓰느라 아직 한 장도 읽지 못했는데."

현정의 말에 호구는 속으로 생각했다.

'넌 이제 친구가 아니야.'

✎ 이치

친구는 서로 대화가 되어야 친구라 할 수 있습니다. 대화가 되지 않는 관계는 친구관계가 아니라 그냥 아는 사람일 뿐입니다. 친구끼리 대화는 서로에게 도움이 될 때 진정한 친구라 할 수 있습니다. 바뀐 친구 현정의 모습에 놀란 호구는 현정에게 진정 어린 충고를 하지만, 이미 현정의 귀는 들리어도 들리지 않는 귀가 되어 아집으로 모든 사물을 재단하는 지경까지 이르러 버렸습니다. 이런 현정에게 어떤 진리를 설파한들 현정은 자신의 색깔로 다시 해석하는 그런 우를 범하기 쉽습니다. 친구 호구가 현정에게 해 줄 수 있는 최선의 도리는 무엇일까요? 그건 친구 현정의 달라진 면을 지적하는 것보다 가만히 지켜보는 것입니다. '지켜본다.'는 것이 어찌 보면 친구로서 할 도리를 못하는 것처럼 보이지만, 사실 '지켜본다'의 이면에는 그 친구에 대한 관심을 내포하고 있는 것입니다. 관심이 없다면 지켜볼 이유조차 생기지 않습니다. 그러면 왜 호구 친구는 현정을 '지켜본다.'만 해야 할까요? 그건 사람의 감정은 환경에 따라 시시때때로 바뀌고 변하기 때문입니다. 감정 에너지는 처한 환경에 따라 좋다가 어떨 때는 싫어지다가 다시 좋아졌다가 그런 변덕을 부립니다. 예컨대, 철천지원수처럼 지내던 두 사람을 무인도에 갖다 놓으면, 처음에는 원수처럼 대하다가 시간이 흐르면 두 사람은 처한 환경에 대처하기 위해 서로 힘을 합칩니다. 고기도 잡고, 야자도 따고, 움막도 짓고 서로 힘을 모아 사이좋게 생활합니다. 그러다가 지나가던 배가 구조를 하여, 다시 원래 환경으로 돌아가면 두 사람의 감정은 다시 단점만 보이기 시작하여 서로 헐뜯기 시작합니다. 이와 같이 사람의 감정은 처한 환경이 어떠하냐에 따라 변화무쌍하게 바뀌기 때문에 그런 감정을 지켜만 보면, 시간이 지남에 따라 달라지는 현정의 감정 변화도 읽을 수 있습니다. 이런 과정의 연속을 통해 호구 친구는 현정의 진짜 참모습을 발견할 것이고, 감정이란 먼지에 얽매이지 않고 훌훌 털어버릴 수 있습니다.

호구 친구의 원고 검토라는 부탁은 어찌 보면 호구의 입장에서 현정에게 자신의 모든 것을 부어 담은 작품을 준 것인데 현정은 휴일에 논문을 썼다는 핑계를 대면서 호구 친구의 작품을 아주 가볍게 대합니다. 친구는 가장 소중한 것, 즉 **시간을 함께 공유할 수 있을 때에만** 진정한 친구라 할 수 있습니다. 호구 친구는 자신의 창작물을 통해 친구 현정과 시간을 함께 공유하고 싶었을 것이고, 현정은 그런 시간을 함께 공유하고픈 마음이 없는 것을 보았을 때, 현정은 호구 친구 입장에서는 이제 더 이상 친구라 할 수 없습니다. 그냥 아는 사람일 뿐입니다. 친구는 또한 서로에게 상생이 될 수 있도록 서로에게 필요한 존재가 되었을 때, 진정한 친구로서 삶을 함께 사는 것입니다. 친구에게 짐이 되고 스트레스용 대상이 되고, 술자리에서 말 상대가 되어 주는 사람을 두고 친구라 하지 않습니다. 친구는 한마디를 하여도 친구에게 도움이 될 말을 하고, 친구와 이념이 서로 같아 말이 잘 통하고, 친구가 소중히 여기는 것을 함께 소중히 여길 줄 알고, 서로에게 배울 점이 있는 친구가 진정 친구라 할 것입니다.

또한 진정한 친구를 사귀고 싶다면, 우선 내 일에 최선을 다하십시오. 호구 친구 역시 자신의 창작활동에 최선을 다하고 있다면, 그 에너지에 맞게끔 그에 걸맞게 친구가 다가올 것이 분명합니다. 현정은 현정대로 대학원에서 열심히 전공 공부를 하다 보면, 그 분야에 서로 잘 이야기가 통하고 마음이 맞는 친구가 다가올 것입니다. 그러니 호구 친구는 현정의 달라진 태도와 자신의 작품을 무시한 행위에 대한 서운한 감정에 더 이상 매달리지 말고, 자신이 진정 하고자 하는 일에만 전념하기를 바랍니다. 자신의 그릇에 맞는 친구는 어느덧 내 옆에 다가옵니다.